Pessoas inteligentes recebem livros de presente.

Dedico este livro a alguém especial:

_____

Para descobrir o que é a felicidade,
Não há regras, mas princípios.
Abra a janela de sua mente,
Liberte as asas de seu imaginário,
Oxigene os pulmões de sua criatividade,
Rompa o cárcere da mesmice,
Cuide com inteligência de sua emoção,
Ande por ares nunca antes respirados,
Encontre endereços desconhecidos,
E, em especial, o endereço dentro de si mesmo.

_____

___/___/___

Felicidade roubada

Copyright © Augusto Cury, 2014

Preparação Augusto Iriarte
Revisão Laila Guilherme e Tulio Kawata
Diagramação Estúdio Plot
Capa Graziella Iacocca
Imagem de capa © Gael Conrad/Corbi
Impressão e acabamento Ed. Loyola

CIP-BRASIL. CATALOGAÇÃO NA PUBLICAÇÃO
SINDICATO NACIONAL DOS EDITORES DE LIVROS, RJ

C988f

Cury, Augusto, 1958-
 Felicidade roubada / Augusto Cury. - 1. ed. - São Paulo : Saraiva, 2014.
 192 p. ; 23 cm.

ISBN 978-85-02-22564-0

1. Romance brasileiro. I. Título.
CDD: 869.98
14-10934   CDU: 821.134.3(81)-8

1ª edição, 2014 | 13ª tiragem, junho de 2023

Nenhuma parte desta publicação poderá ser reproduzida por qualquer meio ou forma sem a prévia autorização da Saraiva Educação. A violação dos direitos autorais é crime estabelecido na lei n. 9.610/98 e punido pelo artigo 184 do Código Penal.

Todos os direitos reservados à Benvirá, um selo da Saraiva Educação.
Av. Paulista, 901, 4º andar
Bela Vista - São Paulo - SP - CEP: 01311-100
SAC: sac.sets@saraivaeducacao.com.br

CÓDIGO DE OBRA | 10299   CL | 670267   CAE | 568013

AUGUSTO CURY

Felicidade roubada

Um romance psicológico sobre os fantasmas da emoção
que estão dentro de nós e que sabotam a nossa felicidade

Benvirá

Prefácio

Um dos fenômenos psíquicos mais comentados no mundo todo e menos compreendidos é a felicidade. Ser feliz é ter a plenitude do prazer? Mas quem não atravessa os vales das angústias? É beber da fonte da tranquilidade? Mas quem não atravessa os desertos da ansiedade? É ser realizado social e profissionalmente? Mas quem não chafurda na lama das frustrações? É conhecer a excelência do amor? Mas quem não é ferido pelas pessoas que mais ama?

Fiz mais de 20 mil sessões de psicoterapia e consultas psiquiátricas, e durante mais de trinta anos tenho pesquisado e produzido uma das teorias psicológicas da atualidade que estudam a formação do Eu como gestor do território da emoção. Essa experiência me levou a desenvolver o Freemind, um programa mundial para prevenção de transtornos psíquicos, disponível gratuitamente para todos os povos, culturas, universidades, empresas e religiões. Diante disso, estou certo de que não encontramos a felicidade, é ela que nos encontra.

Quando? Quando abraçamos mais e julgamos menos, elogiamos mais e criticamos menos, apostamos mais e cobramos menos (inclusive de nós mesmos), dialogamos mais sobre quem somos e menos sobre onde estamos, aceitamos mais os limites dos outros e temos menos a necessidade neurótica de mudá-los, vivemos mais o presente e sofremos menos pelo futuro, protegemos mais nossa emoção e traímos menos nossa cama, nosso sono, nossos sonhos. Todos esses temas são abordados em Felicidade roubada. Em todos eles, o personagem central tropeçou. E quem não tropeça?

Conquistar a felicidade é uma tarefa sofisticada. Reis tentaram sequestrá-la com seu poder, mas ela desdenhou deles dizendo: "nada pode me controlar!". Intelectuais tentaram seduzi-la, mas ela os surpreendeu falando: "o universo das informações não pode me entender". Milionários tentaram comprá-la com seu dinheiro, mas a felicidade sussurrou: "não estou à venda". Poetas tentaram conceituá-la com suas palavras, mas ela comentou: "sou indefinível". Famosos tentaram seduzi-la, mas ela bradou: "eu me escondo nas coisas simples".

Apesar de ter mais de 40 milhões de leitores em meu país, raramente dou entrevistas, embora o faça com frequência em outros países. Essa atitude não é porque sou excêntrico, mas porque ninguém é maior ou melhor do que ninguém e também porque estou convicto de que ser feliz é fazer muito do pouco. A felicidade se esconde de fato nas coisas humildes e anônimas. A necessidade de evidência social é um dos sintomas da infelicidade.

Este romance foi livremente inspirado em fatos reais, mas os dados foram modificados para preservar a identidade dos personagens. O personagem principal desta história é culto, impactante, realizado, mas teve sua felicidade roubada pelos "fantasmas" da sua mente, demonstrando que um ser humano brilhante pode ir à falência emocional e uma pessoa emocionalmente falida pode também ser reconstruída como ele foi. E, uma vez reconstruída, torna-se mais generosa, calma, tolerante e inteligente.

Algumas estatísticas apontam que mais de 3 bilhões de pessoas cedo ou tarde desenvolverão um transtorno psiquiátrico. Um número assombroso, indicando que as sociedades modernas tornaram-se uma fábrica de pessoas estressadas. Tal preocupação me motivou a escrever este livro e também uma aventura inédita chamada *Petrus Logus e o Guardião do Tempo*. Quero estimular os jovens a fazerem a mais fantástica viagem, uma viagem para o território da emoção, para explorá-lo e protegê-lo, para assim não ser como os adultos: os maiores sabotadores de sua própria felicidade.

Não faz muito tempo, a revista *Época* comentou que inaugurei um novo tipo de romance, o romance psiquiátrico-histórico. No fundo, escrevo para contribuir com os leitores, mas escrevo também para domesticar os meus fantasmas emocionais. E espero que, ao ler este romance, você tenha instrumentos para domesticar os seus. Claro, se os tiver. Mas quem não os tem...?

Dr. Augusto Cury, Ph. D.

1

Quando um pai desabou

A sirene da ambulância cortava o centro da cidade como um machado que fende a madeira seca. O som ensurdecedor sequestrava a tranquilidade dos passantes. Medo, esse fantasma primitivo, silenciava os pensamentos e dava um recado convicto aos que ouviam a sirene: aquietem sua voz, minimizem seu orgulho – somos todos simples atores que cintilam e desaparecem!

Nos carros, os motoristas recolhiam-se em si e, desesperados, abriam caminho como podiam. A máquina ansiosa insistia em romper a inércia do trânsito. Um metro parecia uma milha; um minuto, uma eternidade. Que lágrimas o paciente chorara? Que júbilos vivenciara? Que pesadelos sofrera? Que projetos sonhara? Ninguém sabia. Mas todos davam passagem ao anônimo que vivia os instantes finais de sua peça existencial. Infelizmente, os homens celebram mais a morte do que a vida.

Um menino, Lucas, de sete anos, felicíssimo, bem-humorado, perguntador, esperto, vivaz, contagiante, era o protagonista do "cortejo". Há instantes, andava de bicicleta ao lado de seu pai, dr. Salomão Bachier, como se o mundo fosse uma eterna brincadeira, como se a vida não fosse sobressaltada por surpresas. Dr. Salomão, um culto, austero, pragmático e famoso advogado criminalista, pela primeira vez sentiu-se o maior criminoso do mundo. Num momento de descuido, apostara uma pequena corrida com o filho e o provocara a ir além do seu limite. Tinha orgulho de dizer que "meu filho tem grande capacidade, é um menino raro".

– Vamos, garoto, você pode ser mais rápido!
– Não consigo, papai...
– Consegue, sim! Dê tudo o que tem! – dissera o pai, desafiando-o e ultrapassando-o. Mas, de repente... – Cuidado, filho, cuidado!

O menino, que pedalava em alta velocidade, perdeu o controle da bicicleta, deixou a ciclovia, penetrou na avenida movimentada e sofreu uma colisão. Apesar da freada brusca, um luxuoso carro atirou a frágil criança quatro metros à frente. Uma criança que estava começando a sua história, mas que já era suficientemente velha para morrer.

Lucas estava entre a vida e a morte.

Dr. Salomão, assombrado pelo medo da perda, entrou em desespero. Não fora agente de um crime doloso, intencional, mas de um crime culposo, sem intenção. Um lampejo de imprudência levara-o a descuidar do que lhe era mais caro. O homem que raramente pedia algo para alguém agora gritava aos prantos para os passantes:

– Me ajudem!

Com o filho nos braços e em completo desespero, queria despertá-lo do estado de inconsciência.

– Filho, acorde! Por favor, acorde! Eu vou cuidar de você.

Mas Lucas guardava um silêncio profundo, embora seu coração insistisse em pulsar. Até quando? Era uma pergunta que ninguém sabia responder. Ao olhar para a expressão do pai, não se via um advogado famoso nem um homem rico, mas um ser humano fragmentado. Era felicíssimo e não se dera conta até que sua felicidade fora sequestrada.

Avisaram-no que a ambulância do Santa Cruz, grande e respeitado hospital que ficava não muito distante do local do acidente, estava prestes a chegar. Preferiu esperá-la a transportar o filho num carro particular, que, além de inapropriado para os primeiros socorros, não romperia o tráfego infernal da grande cidade. Cada minuto era uma tortura. Lágrimas corriam pelo seu rosto e pingavam sobre a face do filho, produzindo uma cena dramática. Balbuciava palavras inexprimíveis:

– Filho, meu filho, eu abriria mão de tudo o que tenho, me tornaria um morador de rua, faria tudo para trazê-lo de volta. Perdoe-me, Lucas, perdoe-me...

Todos os que se aproximaram se comoveram com suas palavras e seus gestos. Naqueles prolongadíssimos instantes, sua mente entendeu o recado e o projetou no futuro, como se quisesse abrandar seu inimaginável sofrimento. Ele se viu como um maltrapilho, trajando roupas sujas e rotas, recostado na pilastra de uma escola suntuosa. Descabelado, com os dentes estragados, era evitado pelos caminhantes. De repente começou a sorrir como se fosse a pessoa mais feliz do mundo. Um dos seguranças da escola não entendia sua reação. Preocupado com seu comportamento, tratou de expulsá-lo dali.

– Por que você está sorrindo?

– Porque meu filho está correndo, brincando, feliz. Veja! – E apontou para um garoto.

Pensando se tratar de um psicopata ou um sequestrador, o segurança chamou um colega, e ambos usaram a força para retirá-lo.

– Saia daqui, seu verme! Senão vai direto para a prisão.

– Prisão? Eu acabei de sair de uma prisão...

Segundos depois, a mente do dr. Salomão retornou como um raio para o presente. Ele beijava a face do filho e dizia:

– O que fiz com você, meu filho? Eu te amo!

A ambulância chegou. Os socorristas pegaram o menino do seu colo e lhe pediram que os seguisse de táxi ou no próprio carro.

– Ninguém vai me separar do meu filho! – disse, resoluto.

Dra. Mariana, a médica que chefiava o atendimento, permitiu que ele fosse na ambulância com o filho. Mas, quando o dr. Salomão quis abraçar o menino, estimular seus trôpegos batimentos cardíacos, ela o deteve.

– Não toque nele, por favor. Se tiver sofrido uma lesão cerebral, poderá piorar! – dra. Mariana transmitia generosidade em sua voz. Especialista em emergência médica, era inteligente, cuidadosa e firme. Apesar de o caso ser gravíssimo, completou: – Medite, senhor, reze. Tenha esperança...

Mas dr. Salomão, que sempre se indignara com o fato de que milhares de crianças morriam todos os dias vítimas de violência, terrorismo, diarreia, fome, não acreditava em Deus. "Onde está Deus?", perguntava aos amigos. Eloquente e ousado, o criminalista acusava Deus no círculo de advogados, juízes e promotores: "Se Deus existe, Ele abandonou essa paradoxal espécie ou está ocupado demais para se importar conosco!".

No entanto, agora, diante dos últimos instantes de vida do seu filho, não queria explicações humanísticas para a existência ou não de Deus. A questão não era mais se cria ou não; Deus precisava existir. Todo ser humano, por mais racional que seja, cedo ou tarde, quando atravessa os vales sórdidos da dor e da perda, rompe o cárcere do ceticismo e procura de alguma forma o Autor da existência. Busca o sobrenatural, um milagre. E o maior de todos os milagres é também o maior de todos os direitos humanos: continuar a pensar, ser autônomo, ter uma identidade, espantar o fantasma da inexistência e continuar o espetáculo da vida.

Chegou a vez de o dr. Salomão romper seu ceticismo.

– Eu não sei rezar, doutora – confessou humildemente. – Por favor, faça-o por mim... – E abaixou a cabeça em sinal de reverência.

A médica fez um momento de silêncio e então lhe disse:

– Minha oração é manter seu filho vivo até que um neurocirurgião e outros médicos entrem em cena. Não destrua sua esperança; seu filho será assistido num dos melhores hospitais deste país.

Dr. Salomão acalmou-se por alguns instantes, mas, observando o trânsito infernal, novamente foi golpeado pela ansiedade. Batia no vidro repetidamente e suplicava ao condutor que aumentasse o som da sirene da ambulância. Queria que esta viajasse na velocidade da luz. Esperava um milagre. Momentos depois voltou-se novamente para o corpo do filho, tentando notar se ainda respirava. Não queria fazer uma pergunta, mas ela estava fixa em sua mente.

– Você acha que meu filho fraturou o crânio?

– É melhor não especular. Vamos aguardar os exames – disse dra. Mariana.

– Quem é o melhor neurocirurgião do hospital?

– Terá sorte se encontrar o doutor Alan de Alcântara. Mas ele é superatarefado, viaja muito.

– Você tem o celular dele? Pago qualquer coisa! – Ela lhe deu o telefone do hospital. Imediatamente, dr. Salomão ligou e conseguiu o número do celular do neurocirurgião. Não tardou a falar com ele:

– Doutor Alan, sou o doutor Salomão, advogado. Meu filho sofreu um acidente... Está desacordado... Em coma...

A emoção embargou sua voz, e ele enxugou os olhos com a mão. Delicada, dra. Mariana pediu o telefone e, embora desconfortável em fazê-lo na frente do pai, passou o quadro geral do menino, seus sinais vitais, frequência cardíaca, respiratória, dilatação da pupila.

Dr. Salomão sentiu que o neurocirurgião argumentava com a médica que não podia atender o garoto.

– Então, quem está de plantão? – dra. Mariana indagou.

Dr. Salomão subitamente tomou o telefone da médica.

– Por favor, atenda ao meu filho. Tenho medo de que tenha fraturado a cabeça. Por favor!

O sempre estudioso, perspicaz e respeitável neurocirurgião respondeu do outro lado da linha:

– Há outros bons neurocirurgiões na minha equipe, que estão de plantão. Inclusive o doutor Ronald, um profissional notável. Sinto muito, estou num congresso.

– Aqui na cidade?

– Sim, mas...

– Não tem "mas"! – dr. Salomão falou em tom alterado. – O senhor não está entendendo. Eu quero o senhor! Pago o dobro, o triplo, o quádruplo... o valor que o senhor cobrar!

Técnico e frio, embora competentíssimo, dr. Alan atirou dr. Salomão dentro de uma lagoa de água gelada.

– Não é uma questão de dinheiro, senhor! Reitero: há profissionais brilhantes no Hospital Santa Cruz, que farão os primeiros atendimentos. Vou liderar uma mesa-redonda agora. Mas vou ver seu filho mais tarde.

– Eu exijo o senhor! – o criminalista disse em voz alta. E, desesperado, fez o que fazia de melhor: – Se não atender o meu filho, vou processá-lo por omissão de socorro!

– Não posso ser processado, senhor! Não estou negando socorro ao seu filho, pois não estou no *set* do risco. Ligarei para meus assistentes e pedirei que fiquem a postos.

Dr. Salomão era um advogado disputado por grandes políticos e empresários. Enfrentava promotores com voz altissonante e juízes com ilibada eloquência. Certa vez, em um ataque de raiva, afrontou até o presidente do Supremo Tribunal. Não se curvava a ninguém e nunca pedia favores. Mas, agora, nocauteado pelo trágico acidente, beijou a lona da sua fragilidade. Entre soluços, suplicou:

– Por favor... por favor, doutor Alan, não desligue. Se fosse seu filho que estivesse correndo o risco de morrer, o que o senhor faria? Não lutaria para ter o melhor médico? Por favor, responda com toda a honestidade do mundo.

– Sim.

– O senhor é um dos melhores neurocirurgiões do país. Por isso... eu lhe imploro... atenda ao meu pequeno Lucas. Eu não saberia viver sem ele...

Dr. Alan se comoveu, pensou em Lucila, de oito anos, sua única filha, fruto do primeiro casamento. Embora não vivesse com ela, amava-a muitíssimo, chamava-a de "minha princesa". Como ele viajava frequentemente, nem sempre estava presente. Tentava compensar sua ausência física ligando para ela todos os dias, mesmo quando estava fora do país, proferindo conferências.

– Ok! Estou indo imediatamente para o hospital – falou e desligou o celular.

Pela primeira vez, dr. Salomão ganhou uma batalha no mais difícil dos tribunais, o tribunal da emoção, tendo usado não sua eloquência, seu dinheiro ou seu poder, mas a mais antiga e penetrante das ferramentas: a humildade.

Os sinais vitais de Lucas estavam piorando. Dra. Mariana fazia o que podia para mantê-lo vivo, vendo a angústia do pai. Aquele caso a deixava particularmente ansiosa. Lidava bem com adultos acidentados, mas, toda vez que atendia a uma criança, sua taquicardia e tensão aumentavam.

2

Quase um deus!

Dr. Alan, esguio, cabelos escuros, um metro e setenta e nove, quarenta e quatro anos, mestre e doutor em neurocirurgia, era tão genial quanto genioso. Respeitado entre seus pares, ultrapassava todos os colegas em cultura geral e médica e, principalmente, na visão de campo e nas habilidades operatórias. Procurava ser o menos invasivo possível e trabalhava em novas técnicas de microcirurgia cerebral, o que o tornara famoso.

Há uma brincadeira que se faz com os cirurgiões, mas que, no fundo, tem um quê de verdade, em especial no caso do compenetrado dr. Alan: quando um cirurgião entra na sala de cirurgia para operar um paciente, ele crê que é um deus; quando sai, ele tem certeza de que o é.

Brilhante médico, seguro em fazer diagnósticos e rápido em tomar decisões, dr. Alan era considerado um artista do bisturi, e suas palavras eram igualmente afiadas. Especialista em provocar e desbancar seus pares, ele mesmo detestava ser contrariado, não suportava frustrações e tinha grande dificuldade de conviver com pessoas lentas.

Na realidade, não era que as pessoas fossem lentas; ele é que era rápido demais. Sofria da Síndrome do Pensamento Acelerado. Mente agitada, dormia no máximo seis horas por noite e trabalhava no mínimo dez. Além disso, estudava com intensidade e escrevia artigos científicos para revistas internacionais até de madrugada. Acordava fatigado e tinha frequentes dores musculares, porém não dava importância aos gritos de súplica do seu corpo. Era excelente para seus pacientes, mas um algoz para si mesmo. Como todos os deuses, tinha a falsa crença de que sua energia biopsíquica era inesgotável. Dr. Alan operava pelo menos setenta pacientes por mês.

Vida e morte estão diariamente nas mãos de cirurgiões de todas as especialidades, esses heróis anônimos de carne e osso que frequentemente vivem, sem perceber, acometidos por um estresse insuportável.

Como neurocirurgião, dr. Alan sabia que o cérebro, complexa máquina tão pesquisada mas ainda tão desconhecida, com bilhões de células e trilhões de interconexões, é uma fonte inesgotável de segredos e, portanto, tem de ser manipulado com extrema destreza. Um erro, e a fala poderia ser perdida; um corte de um milímetro a mais comprometeria a visão; uma diminuta lesão, o movimento e o equilíbrio se dissipariam...

Ao chegar ao hospital, Lucas foi encaminhado a uma bateria de exames. Dr. Alan estava a caminho. Apareceu cinco minutos depois e foi direto para o centro cirúrgico, onde esperou pelos resultados. Dr. Salomão, o pai de Lucas, estava ansioso pelo diagnóstico. Ao ver o dr. Ronald, assistente principal do dr. Alan, com uma série de radiografias nas mãos, indagou-lhe:

– Como está meu filho?

– Precisa ser operado com urgência.

O advogado não se contentou; queria mais detalhes.

– Alguma fratura? Hemorragia cerebral?

– Sim.

A tomografia não deixava dúvida. Ele sofrera traumatismo craniano e acidente vascular cerebral múltiplo, com hemorragias em duas importantes áreas: frontal direita e posterior do crânio, perto do cerebelo, o centro do equilíbrio humano. O caso era gravíssimo. Sem intervenção cirúrgica, a hemorragia não poderia ser estancada, e a pressão intracraniana poderia levar a uma parada respiratória ou, na melhor das hipóteses, produzir sequelas seriíssimas.

– Ah, meu Deus! – expressou desanimadamente o incrédulo pai. – Ele vai sobreviver?

– Faremos tudo o que for possível. Não posso dar mais explicações agora. Precisamos fazer a intervenção imediatamente.

Mais uma vez, o medo da perda assombrou o homem da lei, que se aproximou da porta de entrada do centro cirúrgico. Colocou as mãos no rosto e sentiu suas forças se esvaírem; apoiando-se na parede rugosa, fletiu pouco a pouco as pernas e sentou ao chão. Todos os que passavam se condoíam daquele homem transtornado. Alguns tentavam consolá-lo, mas nada o retirava de seu estado mórbido. Um médico clínico que havia sido processado por um suposto erro médico e fora defendido por dr. Salomão não acreditou ao ver o famoso advogado naquele estado.

– Dr. Salomão, é o senhor mesmo?

Ele levantou a cabeça.

– Não... agora sou apenas um pai que está perdendo seu maior tesouro.

Nesse momento, uma mulher chegou correndo; era a esposa do dr. Salomão, Liza. Estava do outro lado da cidade, e o trânsito carregado a impedira de chegar antes.

Liza, artista plástica, era sensível, calma. Ao vê-la, o advogado reuniu sua parca energia, levantou-se e foi ao seu encontro, porém não teve ânimo para abrir os braços. Recostou a cabeça nos ombros dela e desabou. Punia-se.

– Eu... sou culpado, Liza... Eu acho que matei nosso filho...

Liza segurou a cabeça do marido com as duas mãos, encostou suavemente a sua na dele, e ambos verteram o líquido essencial, o único que nos torna verdadeiramente humanos e nada mais: as lágrimas.

Em seguida tentou consolá-lo:

– Acalme-se, querido. Ele vai sair dessa...

Quando um ser humano está sofrendo, independentemente da intensidade da dor, para ele é o mundo que está ferido. Quando um ser humano cala a voz, para bilhões de pessoas é mais alguém partindo, mas para seus íntimos é o universo colapsando. A emoção nos torna únicos.

A cirurgia de Lucas transcorria com muita dificuldade. O menino estava entubado e respirava por aparelho. Infelizmente, no meio da operação, algo fatídico ocorreu. O coração, o mais importante escravo do ser humano, tão vital como maltratado, que pulsa incansavelmente quarenta milhões de vezes por ano, não suportou, interrompeu seu ritmo.

– O coração parou! O coração do menino parou! – bradou o anestesista.

Dr. Ronald se desesperou. Dr. Alan parou a cirurgia e pediu rapidamente o desfibrilador.

– Desencostem da mesa! – bradou o neurocirurgião-chefe antes de dar a descarga elétrica sobre o frágil tórax do garoto.

O coração insistia em calar-se... Uma história interrompida; sorrisos, sonhos, brincadeiras, aventuras, traquinagens nunca mais seriam encenados.

– Vamos tentar mais uma vez! – expressou dr. Alan, ofegante.

E assim fizeram. De repente, quando parecia que a voz de Lucas nunca mais seria ouvida, o bipe começou a mostrar vitalidade. Para alívio da equipe, seu coração resolvera se rebelar contra o ponto final da existência e colocara uma diminuta vírgula em sua história...

– Voltou! O coração retomou os batimentos! – disse, felicíssimo, o dr. Ronald.

Guiado pelas imagens cerebrais, dr. Alan, um profissional de reações rápidas, retomou os procedimentos cirúrgicos. Sabia que o prolongamento da operação diminuiria as chances de sobrevivência do menino. Aspirou as áreas onde havia hemorragia e pressão intracraniana. Quando tudo parecia transcorrer bem, uma pequena artéria na parte de trás do cérebro começou a gotejar ininterruptamente, e o acesso a ela era dificílimo. Precisava encontrá-la para estancar a hemorragia.

Dr. Alan suava, estava taquicárdico, mas insistia em explorar o labirinto cerebral e não perder as esperanças. Dr. Ronald, angustiado e perturbado, também não conseguia ver a artéria. A pressão sanguínea baixava, o coração mais uma vez claudicava. O anestesista e as enfermeiras aparentavam desânimo. Entretanto, a perspicácia e o conhecimento profundo do dr. Alan fizeram a diferença. Finalmente, ele localizou a artéria. Foram seis incansáveis horas de cirurgia e uma sobrecarga de estresse sobre-humana. A equipe médica estava fatigada, porém razoavelmente satisfeita. O pós-operatório seria fundamental na evolução de Lucas.

Os médicos foram trocar de roupa. Dr. Salomão e sua esposa aguardavam a mais importante notícia de sua vida. Quinze minutos depois de finalizar o procedimento cirúrgico, dr. Alan apareceu na sala de espera. Sua expressão era contida, preocupada, mas não de alguém que assistira a um óbito. Não falou dos dramas enfrentados na operação.

– A cirurgia foi um sucesso, mas temos que aguardar a evolução.

A esperança, esse remédio único e imprescindível à existência humana, tocou as raízes da alma dos pais. Foi o melhor presente que já haviam recebido. Os dois se abraçaram, emocionados. Depois de uma rápida conversa, o neurocirurgião partiu.

3
Despertando

Dr. Salomão não conseguiu trabalhar nos ansiosos dias que se seguiram. Outros advogados que trabalhavam para ele tocaram o escritório. O menino permanecia em coma. Mas depois de cinco dias o quadro evoluiu bem, e ele deixou de respirar com a ajuda de aparelhos. No sétimo dia, despertou. De olhos abertos, expressou-se com dificuldade:
– Pa... pai, papai...
Dr. Salomão estava ao seu lado. Ao voltar a ouvir a voz do filho, sentiu-se o ser humano mais feliz do mundo e abriu um sorriso inexprimível.
– Filho, meu filho, estou aqui.
– Estou... com sede, papai.
Uma semana depois, o menino deixou a Unidade de Terapia Intensiva. No décimo oitavo dia pôde ir para casa, mas ainda necessitava de intensos cuidados. As crianças têm uma capacidade de recuperação fenomenal quando bem assistidas. Em dois meses, Lucas estava de volta às suas aventuras, brincadeiras e aulas. O pai o levava com frequência ao consultório do dr. Alan para avaliações. Três meses depois, chegou o momento da grande despedida.

– Você está livre de mim, Lucas.
– Por quê, tio?
– Porque você está de alta.
– Eu dei muito trabalho?
– Não. Seu pai me deu muito mais trabalho... – brincou dr. Alan. E todos sorriram.

Dr. Salomão deu um abraço no médico e lhe agradeceu profundamente:
– Muito obrigado pelo que fez por meu filho. Serei eternamente grato.
– Não tem o que agradecer. Eu é que tive o privilégio de tratar desse menino inteligente. A saúde e a alegria dele são minhas recompensas.

Dr. Alan deu de presente a Lucas um cérebro humano desmontável. O menino se afastou para brincar. Nesse momento, dr. Salomão comentou:
– E desculpe-me por ter ameaçado processá-lo naquele dia.
– Nas raias da perda, todo gigante se fragiliza. Seu medo salvou seu filho. Agora posso confessar que essa foi uma das cirurgias mais difíceis que já fiz. Ele teve uma parada cardíaca durante o procedimento, além de uma hemorragia cerebral resistente: uma artéria que sangrava sem parar e que foi muito difícil de localizar. Por duas vezes, na operação, pensei sinceramente que perderia o Lucas.

Dr. Salomão não sabia disso. Recostou-se na cadeira e suspirou, profundamente aliviado.
– O que eu posso fazer pelo senhor?
– Por mim? Nada! Tenho tudo de que preciso. Faça pelas crianças que não têm assistência. E faça pelo Lucas. Tenha mais tempo para ele.

– Sem dúvida, depois desse caos, tenha certeza de que passarei mais tempo com ele. Você tem filhos? – o advogado indagou.

– Uma filha um ano mais velha do que seu filho.

– Tem tempo para ela? – questionou o advogado, como sempre fazia, automaticamente, querendo saber se dr. Alan tomava o remédio que lhe prescrevera.

Dr. Alan fez uma pausa. Tinha culpa no cartório da existência.

– Cuidar dos outros sequestra meu tempo. Os altruístas pagam um preço mais caro. Não tenho o tempo quantitativo com Lucila, mas procuro o qualitativo...

– É suficiente?

– Espero que sim...

Despediram-se e nunca mais se viram depois da alta de Lucas.

Dr. Alan atendia a executivos, riquíssimos empresários e celebridades – e todos eles pagavam caro pelo tempo do médico –, mas fazia questão de todo ano operar gratuitamente algumas pessoas carentes. E o fazia com a mesma motivação.

Por trabalhar excessivamente e ser muito eficiente, paciência não era uma das suas habilidades emocionais. Distribuía sorrisos e cumprimentos aos funcionários mais simples da instituição, porém era pouco carismático com os colegas médicos que treinava. Nem à sua segunda esposa, Claudia, costumava fazer elogios. Apenas com sua filha Lucila era intensamente afetivo.

Alan tivera uma mãe rígida, fechada, pessimista e criticava essas características dela. No entanto, não é raro os filhos reproduzirem os traços que mais detestam em seus pais. Por mais que Alan, nos bastidores de sua personalidade, fosse afável, sua aparente frieza e o hábito de criticar a tudo e a todos faziam dele um homem de poucos amigos. Como professor universitário, era respeitado e temido, e uma das coisas que mais o irritavam era a falta de comprometimento dos estudantes. Certa vez chamou a atenção de um aluno alienado:

– Ou você leva a medicina a sério e estuda dia e noite, ou é melhor procurar outra profissão que não exija tanta leitura e dedicação.

Com um de seus residentes, que estava se especializando em neurocirurgia e era um tanto relapso, perdera a paciência e elevara o tom de voz:

– Estude anatomia! Estude fisiologia! Estude fisiopatologia! No nível em que se encontra, você não está apto nem para operar o cérebro de um animal.

O aluno saíra bufando de raiva, dizendo a si mesmo:

"Então não estou apto para operar o *seu* cérebro..."

Outra vez, na frente do cardiologista dr. Paulo de Tarso, um de seus raros amigos, fora categórico com um jovem cirurgião que tinha grande dificuldade para manipular a agulha e o fio cirúrgico:

– Já lhe ensinei dezenas de vezes. É melhor aprender a dar pontos com uma costureira para depois se aventurar num centro cirúrgico.

– Você me deixa nervoso – retrucou o residente.

– Eu o deixo nervoso? E quando você tiver um paciente com o crânio aberto em suas mãos? Entrará em pânico? Sairá correndo? Eu posso ser um professor duro, mas as aulas são a parte mais calma de um aprendizado! Ou você domina seu medo, ou é melhor abandonar a carreira de cirurgião.

O médico novato perdeu a cabeça e o enfrentou:
— Você é um péssimo formador!
Dr. Alan se virou e não mediu as palavras:
— Eu? Olhe aqui, garoto, eu sou seu chefe. Você nunca será um grande líder se não aprender a ser liderado. Se quiser ficar na minha equipe, terá de seguir a minha cartilha. Não aceito desequilibrados.

O jovem arrefeceu. Sabia que estava perante um dos melhores neurocirurgiões e num dos melhores centros de formação do país, referência internacional, inclusive. Não podia abrir mão dessa vaga concorridíssima.

— Desculpe-me, professor. Estou estressado. — Reconheceu sua insubordinação e tentou se justificar: — Fico inibido diante de um super-humano.

Apesar do pedido de desculpas, dr. Alan não gostou da justificativa do aprendiz.

— Todo estudante de medicina deveria gravar o que vou dizer, principalmente você: um bom cirurgião é quase um semideus, mas um péssimo cirurgião é um carrasco legalizado por um diploma.

O aprendiz se abalou, mas dr. Alan ainda não dissera tudo.
— E tem mais. Só há um médico que pode destruir mais do que um cirurgião: um psiquiatra. Quando é um mau profissional, o primeiro destrói o corpo, mas o segundo destrói a mente. E eu o aconselho a procurar um bom psiquiatra.

— E o senhor, não precisa também de um psiquiatra?
— Acalme-se, Alan, acalme-se. É o suficiente... — interveio dr. Paulo de Tarso tentando abrandar o clima.

O cardiologista percebeu que dr. Alan estava a ponto de ter um colapso e prestes a desligar o jovem médico de sua equipe. Era preciso esfriar os ânimos naquele estafante final de tarde.

O chefe da neurocirurgia detestava que sua privacidade fosse invadida. Estava perdendo sua proteção psíquica e se tornando um péssimo comprador de emoções. Pequenas frustrações furtavam sua tranquilidade.

4

As gigantescas dívidas de um pai e marido

Dr. Alan sempre achou que seria o último profissional a precisar de um psiquiatra um dia. Distorcia a percepção de si mesmo. Sentia-se mentalmente saudável e emocionalmente estruturado, imbatível, intocável. Depois do atrito com um de seus alunos, ele e dr. Paulo de Tarso saíram do hospital. Durante o trajeto, reclamou dos estudantes da atualidade.

– O que está ocorrendo com a formação médica? Tenho a impressão de que a maioria dos alunos é cada vez mais imediatista e ansiosa. Eles não pensam nas consequências de seu comportamento. Parece que estão lidando com objetos, e não com vidas.

– São tempos modernos. Muita tecnologia e pouca sensibilidade.

Paulo de Tarso convidou o amigo para um *happy hour*.

– Vamos beber algo e comer uns petiscos?

– Esses *happy hours* são uma perda de tempo, Paulo. Prefiro fazer algo mais útil, como ler um livro, um artigo científico.

– Relaxar é de extrema utilidade. Será que você não está se tornando uma máquina de trabalhar, Alan?

O neurocirurgião hesitou, mas por fim aceitou o convite. No restaurante, pediram duas cervejas escuras e uma tábua de queijos. Depois de conversas triviais, Paulo de Tarso comentou:

– Desculpe-me por ter sugerido que você é uma máquina de trabalhar. Mas, como seu amigo, preocupo-me com o excesso de compromissos.

– Sou assim. É minha missão.

– Tem validade uma missão que nos coloca em alto risco?

– A medicina é um sacerdócio. Quem quer ser médico tem de estar disposto a fazer sacrifícios.

– Mas qual é o limite?

– Sinceramente, não sei. Só sei que quem lida com cérebros avariados não tem tempo para se colocar em primeiro plano – dr. Alan disse secamente ao cardiologista.

– Saber que a vida é tão complexa e tão frágil não o perturba?

De maneira inteligente e fria, Alan emitiu seu parecer:

– Uma criança de um dia de vida é suficientemente velha para morrer. É a condição humana. Somos humanos, somos da casta dos mortais. E eu simplesmente aceito minha temporalidade existencial.

– "Simplesmente aceito minha temporalidade existencial!" Fico impressionado com sua postura. Como cardiologista, lido com essa máquina infatigável, o coração, mas quando o coração de um dos meus pacientes interrompe seu curso, em especial o de um paciente jovem, fico abalado. Sofro quando perco uma vida. Sinto-me completamente impotente.

– No começo da minha carreira, eu também sofria muito! Mas imagine dar um diagnóstico de câncer cerebral toda semana e assistir ao desespero dos pais diante da enfermidade dos filhos ou à angústia dos filhos diante da possibilidade de perder seus pais. Imagine casais abaladíssimos ao descobrirem que o amor, esse fenômeno inexplicável, está encapsulado num cérebro mortal. Se eu não me protegesse, não suportaria.

– A carga de emoção que envolve sua especialidade é indescritível.

– Você sabe que o câncer não é o fim da linha. Muitos o superam se ele é diagnosticado precocemente e se fazem um tratamento adequado. Mas é inegável que a morte ronda nossos atos cirúrgicos todos os dias. Como mecanismo de defesa, tive que aprender a me distanciar.

– Mas é saudável esse mecanismo? Qual é o limite entre a insensibilidade e o distanciamento gerado por uma proteção emocional benéfica? Será que nós, médicos, não perdemos nossa humanidade nessa trajetória?

– Perguntas inteligentes, Paulo. Minha resposta é: não sei. Nunca tratamos desse buraco negro nas escolas de medicina. Um erro crasso!

– De fato, um erro grave! Os melhores médicos são vendedores de tempo, são os mais eficientes em driblar, enganar ou espantar o fim da existência, mas muitos deles morrem mais cedo, se não fisicamente, pelo menos emocionalmente.

– A morte zomba dos milionários, debocha dos poderosos, dá as costas às celebridades. Grita aos nossos ouvidos: somos mortais, viva cada dia como se fosse eterno...

– Interessante, Alan. Mas seja honesto: você faz o que mais ama? Vive cada dia como um período solene?

O neurocirurgião fez uma pausa e declarou:

– Confesso que vivo tudo rapidamente! Mas me recuso a ser refém do medo de morrer. Vivo a sabedoria instintiva do cérebro.

– Qual?

– Que meu cérebro seja eterno enquanto dure.

Não era incomum esses dois brilhantes médicos navegarem nas águas do pensamento mais profundo. Um dos motivos que faziam que o neurocirurgião não tivesse muitos amigos era o fato de não tolerar conversas superficiais.

Ao chegar em casa, ainda antes de sair do carro, dr. Alan ligou para a filha.

– Quem é a menina mais linda do mundo?

– Quem é o papai mais sumido do mundo? Faz mais de duas semanas que não vem me visitar.

– Congressos, aulas, conferências, cirurgias de urgência, filha. Infelizmente, você é filha de um cirurgião.

Lucila derramou algumas lágrimas e, com a voz embargada, disse:

– Mas, papai, eu... – ela interrompeu a fala do outro lado da linha e soluçou. – Eu... tenho saudades... Você faz muita falta.

– Você também, querida... – disse Alan, emocionado. Suas palavras não fluíram. – Mas... tenha certeza de que... o papai não... esquece um só dia de você.

– Eu sei... mas eu quero sentar no seu colo, apertá-lo, beijá-lo. Ouvir suas histórias malucas...

Alan tinha plena convicção de que a pequena Lucila era sua prioridade, mas não sabia ouvir o inaudível, ver o mundo como ela via. E Lucila, superinteligente e sensível, do alto de seus oito anos, derrubou do trono seu próprio pai. Fez o que nenhum médico jamais conseguira.

– Papai, posso... fazer uma pergunta? – ela indagou, ainda com tom lacrimoso.

– Claro, filha. Vamos lá...

– Quanto custa sua consulta?

– Por que você quer saber, Lucila?
– Porque... porque... eu não comprei roupas nem presentes e comi poucos lanches na escola com a mesada que você me deu nos últimos meses. Juntei dinheiro...
– Não estou entendendo, filha. Por que não gastou seu dinheiro?
– Porque quero pagar uma consulta com você...
– Comigo? Você está brincando?
– Para que você seja só meu...

Aquelas palavras embargaram a voz de Alan. O homem que raramente chorava ficou paralisado. Derramou lágrimas. Depois de um longo minuto de silêncio, com a respiração ofegante, conseguiu dizer:

– Mil desculpas, filha. Perdoe-me... Vamos ficar o domingo inteiro juntos. – E tentou animá-la: – Vamos ao shopping, vamos comprar...

A menina o interrompeu:

– Papai, papai, não quero presentes. Eu quero você. Só você, mais nada... – E fez outra pausa. – Você me disse muitas vezes: "Eu me separei da sua mãe, mas nunca me separarei de você. Seremos os amigos mais felizes do mundo!".

Nesse momento, as janelas da memória de Alan se abriram, e sua mente foi assaltada por imagens. Quatro anos antes, havia se separado da mãe de Lucila. Para compensar o trauma da separação, fizera um trabalho emocional inimaginável por mais de seis meses. Corria atrás da menina, brincava, se aventurava. Dava-lhe o essencial – ele mesmo – e pouco do trivial – dinheiro, roupas, brinquedos. Era um raro pai que fazia quase o impossível não apenas para ter tempo para a filha, mas também para transformar a relação entre eles em um espetáculo. A menina arquivara em sua mente imagens encantadoras do pai.

Entretanto, o tempo havia passado, e ele voltara à sua rotina massacrante. De herói, tornara-se vilão da pequena Lucila.

– Filha, acho que preciso reaprender a ser pai. Desculpe-me novamente... Neste final de semana, serei só seu.

Depois de conversar com a pequena Lucila, Alan saiu do carro e entrou em casa. Claudia, como sempre arrumada, o esperava. Esbelta, um metro e setenta, cabelos cacheados, personalidade segura, afetiva, mas fatigada pelas migalhas de atenção que seu marido superocupado lhe dispensava.

O corpo de Alan tinha entrado na sala, mas sua mente estava em Lucila e nos problemas do hospital. Mente e corpo pareciam viver em mundos diferentes.

– Oi, Claudia.
– Apenas "oi", Alan?
– Por quê? Aconteceu alguma coisa?
– Não reparou no meu novo visual?

Ele a observou, porém não viu nada de diferente. Apertou os lábios como se nada de novo estivesse acontecendo sob o céu.

– Novo visual? Deixe-me ver. Você alisou mais seus cabelos.
– Não, Alan, mudei a cor.
– Ah! Sim! Interessante.
– "Interessante"? Só isso?
– Quer dizer... você está linda como sempre.

Claudia não era mulher de cobrar muito, mas conviver com alguém que só pensava em trabalho, desconectado das coisas práticas, era um convite a se frustrar. Alan não era austero nem rigoroso com sua segunda esposa como o era com seus colegas médicos e estudantes, mas também não era observador como na prática da medicina.

– Você não economiza dinheiro. Mas... mas economiza sorrisos e amabilidades, Alan.

Ele franziu a testa, revelando mais uma vez decepção consigo mesmo.

– Por favor, Claudia. Há pouco Lucila já me tirou o oxigênio da emoção. Fez-me sentir o pai mais omisso do mundo. Agora você me faz sentir o pior marido do mundo.

Alan era um profissional incrível que havia perdido a capacidade de ser um simples ser humano. Sua esposa, tentando aliviá-lo da culpa, disse-lhe:

– Venha cá, seu tolo. Você é o pai e o marido mais querido do mundo, mas não se permite ser amado.

– Sou tosco, eu sei. Mas tenha paciência comigo.

– Um homem tosco ainda sabe beijar?

E, pegando-a em seus braços, Alan a beijou longa e apaixonadamente. Teve tempo para amar.

– Você é minha inspiração, mulher... – disse em tom divertido.

Assim era a trajetória de um homem extremamente produtivo, competente e amado, mas que não tinha um romance com sua própria qualidade de vida. Raramente alguém cuidava tanto do cérebro dos outros e descuidava tanto do próprio.

5

Não se curvando diante de nada nem de ninguém

Alan não conseguia tirar as palavras de Lucila da cabeça. Nunca imaginou que a filha sugeriria marcar uma consulta para que ele tivesse um tempo só para ela. Salvava vidas todos os dias, mas estava perdendo quem mais amava. Vivia o paradoxo dos melhores profissionais: aos estranhos, o melhor que tinha; aos íntimos, as migalhas...

Trabalhava para dar um futuro brilhante à filha, porém lhe dava diminuta atenção no presente. Queria lhe transferir o capital financeiro, mas se esquecera de transferir o capital das suas experiências. Acertava como provedor, mas falhava dramaticamente como pai. Acertava no trivial, falhava no fundamental.

O fim de semana, no entanto, seria perfeito. Só ele e Lucila. Contudo, mais uma vez, traiu as expectativas dela, sem poder cumprir o que prometera. Como não estava com sua agenda ao falar com a filha, esquecera-se de que teria de pegar um voo no sábado para dar uma conferência. E, para piorar as coisas, o mau tempo o impedira de voltar na manhã de domingo. Só conseguiu chegar à casa da filha depois das onze da noite. A menina já tinha ido dormir, profundamente frustrada.

– Ela esperou por você o fim de semana todo, Alan! – disse Evelin, sua ex-esposa. – Lucila foi dormir com lágrimas nos olhos.

Evelin era uma psicóloga competente, sensata. Admirava muito Alan, mas se cansara de conviver com um profissional sem nenhuma rotina. Durante o processo de separação a relação se abalara, mas depois ambos finalizaram as acusações e deram asas à cordialidade. Tornaram-se amigos.

– Tinha agendado uma conferência fazia seis meses e na hora não me lembrei. Cem pessoas me aguardavam.

– Eu sei, ela me contou. Mas e no domingo?

– Não havia condições de voo.

– Você sempre tem mil argumentos. Por que não pegou um voo no sábado? Por que não apareceu na sexta-feira?

– Lá vem você de novo me acusar.

– Espero que seu corpo nunca acuse que você passou dos limites.

– Eu vou reparar as coisas.

– Lembre-se, Alan: só se corrige uma rota quando se está vivo.

Após esse breve mas intenso diálogo, Alan foi até o quarto de Lucila, sentou-se na beirada da cama e afastou suavemente uma parte do lençol que a cobria. Ficou espantado ao perceber que ela já estava ficando uma mocinha.

Naquele momento Lucila estava tendo um pesadelo, uma imagem recorrente que sempre perturbava suas noites. Sonhava que seu pai sofria um acidente, que o estava perdendo. A garota se debatia na cama. Vendo-a agitada, Alan a beijou na testa. Queria acalmá-la sem despertá-la; afinal de contas, Lucila se levantaria às seis e meia da manhã para ir à escola. Assustada com o beijo do pai, ela deu um grito e sentou-se ofegante.

– Filha, sou eu, o papai. – Alan abraçou-a. Sentiu o coração da garota palpitar intensamente.

– Papai, papai... Você está vivo.

– Claro, filha, estou bem vivo. Por quê?

– Sonhei que o estava perdendo.

– Você nunca vai me perder...

– Promete que estará sempre do meu lado?

– Prometo com todas as letras!

E novamente a abraçou. Para relaxá-la, pegou o edredom que estava nos pés da cama, colocou-o sobre a própria cabeça e fingiu ser um fantasma. Ela se escondeu atrás do lençol fingindo ter medo. Em seguida, Alan retirou-lhe o lençol e, rugindo como um tigre, começou a morder suavemente suas costas. E os dois caíram na risada. Evelin, ouvindo o barulho, foi ver o que acontecia. Viu os dois se divertindo juntos. E interveio:

– Palhaços, o circo acaba aqui. Amanhã o basquete começa cedo.

– Ah, mamãe, só mais um pouquinho...

– Sem "ah", mocinha. Já é quase meia-noite.

– Sua mãe sempre coloca o tigre na jaula.

– Até que tentei, mas nunca consegui – brincou Evelin.

– Mas a mamãe tem razão, filha. Mil beijos. Eu te amo muito, muito, mas muito mesmo.

– Você é o pai mais ocupado do mundo, mas é o mais amado também.

E assim se despediram. Alan ficou felicíssimo com os poucos minutos de conversa com a filha; marcara um ponto importante na relação entre eles no último minuto de domingo.

* * *

No dia seguinte, por volta das cinco horas da tarde, quase no final do expediente, ele e um grupo de médicos das mais diversas especialidades estavam à mesa de reunião do Hospital Santa Cruz tomando suco e café e comendo algumas bolachas, quando surgiu o assunto da qualidade de vida dos profissionais de saúde.

– Estou impressionado com o alto índice de médicos com problemas cardíacos. Nunca enfartaram tanto! – comentou dr. Paulo de Tarso.

– E o índice de doenças autoimunes, inclusive de alergia? Tem sido surpreendente entre os colegas – disse dr. Antunes, o imunologista presente à mesa.

– Nossa profissão tem sido de altíssimo risco, talvez mais do que a dos professores e dos policiais, que vivem sobre as chamas do estresse. Transtorno do sono, cefaleia, ansiedade têm sido o cardápio de muitos médicos – continuou dr. Leonardo, psiquiatra sempre ponderado e frequentemente chamado pela equipe de neurologia para fazer avaliações dos pacientes.

– A sobrecarga de trabalho inumana, as pressões profissionais, a urgência das decisões e a necessidade de se atualizar estão nos adoecendo coletivamente – enfatizou dr. Machado, um neurologista de cabeça branca muito respeitado pelos colegas.

– A medicina é uma ciência em constante mutação. É preciso estar preparado para as pressões sociais e para esse ritmo alucinante de reciclagem profissional. Caso contrário, não sobreviveremos – afirmou dr. Alan.

– Mas quem está preparado, Alan? – questionou dr. Machado. – Você está?

Dr. Alan não demorou a lhe responder:

– Amo intensamente o que faço. O que me perturba é não ter tempo para as duas mulheres da minha vida.

– E tempo para você? – indagou dr. Machado.

Colocado contra a parede, dr. Alan confessou:

– Não tenho tempo para mim, admito, Machado. Mas operar, clinicar, dar aulas é minha forma de diversão.

– Estamos preocupadíssimos com o alto índice de depressão entre os médicos – comentou dr. Leonardo.

– Transtornos mentais atingem frequentemente mentes desocupadas, Leo... – brincou dr. Alan, apesar do habitual tom de seriedade.

– Você acha mesmo isso? Você não sabia que, cedo ou tarde, um bilhão e quatrocentos milhões de pessoas apresentarão um quadro depressivo?

– Sim, vinte por cento da população mundial – confirmou dr. Alan, que estava por dentro das estatísticas.

– E todas elas são desocupadas, Alan?

Dr. Leonardo admirava a competência, a perspicácia e a fama do dr. Alan. Ele e os colegas valorizavam enormemente tudo o que vinha do neurocirurgião, até mesmo quando estava dissimulando.

– Leo, Leo, Leo... você não consegue relaxar. Estou brincando, homem... – Como era muito dedicado e não se limitava a estudar apenas a sua área, dr. Alan começou a mostrar sua cultura sobre psiquiatria para os colegas: – Há muitos tipos de depressão. A depressão maior afeta as pessoas felizes, que, abarcadas por algum conflito, um dia desabam. A depressão reativa acomete pessoas que sofreram perdas e interrupções bruscas. A depressão distímica assalta pessoas que desde a infância foram pessimistas e mórbidas. Já a depressão bipolar afeta aquelas cuja emoção flutua entre o céu da euforia e o inferno da tristeza.

Impressionado com a incompleta mas inteligente abordagem, o psiquiatra lhe falou:

– Parabéns, Alan. Você é um profissional culto e sempre passa uma ideia de ter uma mente estruturada, forte, não sujeita a mazelas. Mas seja sincero: nunca sentiu que precisava fazer terapia?

– Terapia? – E meneou a cabeça com um sorriso no rosto. – Não tenho tempo para depressão e outros transtornos psíquicos. Não existe fantasma emocional capaz de roubar minha felicidade. – Nesse instante, dr. Alan se lembrou da filha e ficou reflexivo. Depois de uma pausa para respirar, voltou-se para o psiquiatra: – E quanto a você, tem fantasmas da emoção?

Dr. Leonardo não demorou para lhe responder:

– Alguns.

Ferino, dr. Alan continuou fuzilando o colega:

– Eles o assombram?

– Às vezes...

– Domestique-os, Leo, para que não o controlem.

Nesse momento, apareceu na sala uma assistente do dr. Alan, quebrando subitamente o clima. Trazia uma mensagem de um paciente importante.

– O senhor Alcântara Pinheiro o procurou duas vezes e pediu para o senhor retornar a ligação.

– Diga a ele que precisamos muito conversar, mas que não darei o diagnóstico por telefone.

– Mas, doutor...

– Já disse. Se ele quiser vir hoje ou amanhã na hora do almoço, abro espaço para conversarmos.

Dr. Paulo de Tarso, seu amigo cardiologista, comentou:

– Se recusando a falar com o todo-poderoso ministro?

– Quando souber o diagnóstico, o todo-poderoso descobrirá que é um simples mortal!

Era surpreendente a maneira como Alan reagia. Toda vez que estava conversando com alguém, outras pessoas se aproximavam para ouvi-lo. Suas patadas e tiradas ocupavam a primeira página do diálogo. Antes de sair daquela reunião informal, dr. Ronald, seu assistente direto, que sempre nutrira uma ponta de inveja de seu mestre por sua destreza e fama, indagou-lhe:
– E ansiedade, Alan? Nunca foi abarcado por ela?
O jovem médico sabia que ansiedade era a marca registrada do dr. Alan. Torcia para que ele negasse. Pensou que o pegaria nas próprias palavras. Mas tal atrevimento irritou o dr. Alan, embora tenha continuado astuto nas respostas:
– Estudar, se equipar, tomar decisões, inventar e se reinventar são atividades intelectuais que nascem no solo da ansiedade. – Esfregando as mãos na cabeça, expressando que a temperatura de sua tensão estava alta, completou: – Só não tem ansiedade, Ronald, quem é alienado ou está morto. Sou ansioso? Sim! Minha ansiedade é produtiva? Sim! Mas ela está sob meu controle? Também! E você, tem ansiedade?
– Sim – disse dr. Ronald, um tanto sem graça perante os demais colegas.
– Ela é produtiva?
– Creio que sim – respondeu, inseguro.
– Ela está sob seu controle?
– Creio que sim.
– Você crê, doutor Ronald? Um neurocirurgião precisa de convicções, não de crenças!
Todos os colegas riram.

– Claro, eu a controlo! – corrigiu-se rapidamente.

De repente, entrou um enfermeiro desesperado. Era um chamado urgente.

– Dr. Alan, acabamos de receber um homem de meia-idade baleado na cabeça.

O neurocirurgião se levantou subitamente e disse:

– Que sociedade é esta? Cada vez mais violenta...

E, sem mais palavras, saiu às pressas para mais uma longa e perigosa jornada, sem conhecer os percalços no caminho, o que encontraria e aonde chegaria no ato cirúrgico. Como milhares de médicos, vivia na zona cinzenta entre o tolerável e o insuportável.

À saída do dr. Alan, dr. Leonardo comentou com dr. Machado:

– Alan parece um super-humano.

– O problema é que os super-humanos também desabam.

Alan tinha uma personalidade rara. Era um homem transparente, contundente, sem papas na língua. Vivia para sua brilhante carreira, como se nada mais acontecesse sob o céu. O habilidoso e ousado neurocirurgião conhecia muito bem os acidentes que traumatizavam o cérebro dos outros, mas não os que afetavam o seu próprio. Inteligente, afirmava que os vampiros da emoção estavam sob o seu domínio, mas desconhecia que os monstros que assombram as crianças, como o medo do escuro, do desconhecido e da morte, frequentemente estão vivos também nos adultos, embora possam hibernar por anos ou décadas...

6

Quando um deus foi nocauteado!

A mente do dr. Alan era uma fábrica de preocupações, uma usina de pensamentos antecipatórios, uma fonte de atividades. Seu limiar para suportar frustrações diminuía cada vez mais. Pequenos problemas sequestravam sua tranquilidade. Lia numa velocidade impressionante as principais notícias dos jornais.

Seu corpo mostrava sinais de falência, mas ele parecia não enxergar. Tinha gastrite nervosa. Dores de cabeça, antes raras, estavam se tornando comuns. Acordava de madrugada, e era difícil retomar o sono. Sua pressão sanguínea começou a flutuar. Mas ele era um herói, pelo menos acreditava que era. Desconhecia que o tempo da escravidão não cessara. Antes se escravizava o corpo, hoje se escraviza a mente. Continuava seu trabalho intelectual escravo. Gastava mais energia do que cinco trabalhadores braçais juntos. Pela manhã, faltava-lhe disposição para iniciar o dia.

E isso não era tudo. Tomava café da manhã em cinco minutos, almoçava em no máximo quinze, sempre em horários irregulares. Na realidade, não almoçava: engolia a comida –

três ou quatro mastigadas e já a enviava de forma bruta ao estômago. Havia muito tempo que suas papilas gustativas não mergulhavam na contemplação dos sabores.

Recebia frequentes ligações na hora do almoço.

– Papai, tudo bem?

– Tudo, querida – falava enquanto mastigava.

– O que você vai fazer hoje?

– O de sempre. Filha, você merece todo o tempo do mundo, mas o papai está atrasado. Ligo para você mais tarde.

– Promete?

– Palavra de escoteiro.

Mas é claro que ele constantemente se esquecia das suas promessas. Assim era sua asfixiante rotina. Certa noite, chegou em casa às nove horas. Claudia estava linda, esvoaçante, perfumada. Desligado, ele perguntou:

– Aonde você vai? – Ela fixou seus olhos no infinito para não chorar. – O que aconteceu, querida?

– Você se esqueceu de que hoje é nosso aniversário de casamento?

– Puxa, que cabeça!

– Esqueceu que tínhamos combinado de jantar no Nuestro Secreto?

– Desculpe-me, eu me arrumo em quinze minutos.

Sua memória não era mais a mesma; esquecia-se de fatos corriqueiros e outros fundamentais. Não sabia que o déficit de memória era uma súplica do cérebro para que ele desacelerasse os pensamentos e se preocupasse menos. Extremamente atarefado e intensamente agitado, não tinha tempo para as coisas simples porém essenciais. Sua dificuldade de conviver com pessoas passivas e que demoravam para "pegar" as coisas só se agravava.

Certa manhã, dr. Alan circulava pelos corredores do hospital em passos fortes. Faria uma cirurgia eletiva, programada havia dez dias. Entretanto, mais uma vez, teve uma surpresa. Dr. Ronald veio ao seu encontro às pressas, interrompeu sua marcha e lhe comunicou:

— Um colega médico teve um quadro hipertensivo e provavelmente sofreu uma hemorragia cerebral. Precisamos intervir nessa cirurgia primeiro.

Dr. Alan, a quem os sobressaltos deixavam ansioso, não tardou a reclamar:

— É frustrante que o ser humano moderno não cuide sequer da sua pressão sanguínea, mas é decepcionante que nem os médicos cuidem de si, não tenham medo que uma crise hipertensiva estoure um vaso em seu cérebro.

— Mas em que lugar você está em sua agenda? — perguntou Amélia, uma enfermeira idosa de quem ele gostava muito e que estava por perto. Desmanchando o cabelo dela, dr. Alan afirmou:

— Trabalho muito, mas me cuido, Amélia.

Dr. Ronald comentou:

— E parece que o vaso que se rompeu foi dos grandes. Ele está em coma.

Dr. Alan e Ronald não perceberam, mas seus batimentos cardíacos dispararam com a notícia e a necessidade da intervenção urgente. A frequência do dr. Alan foi a cento e quarenta e cinco por minuto, porém seus sentidos não perceberam o aumento. Seus pulmões deixaram o ritmo calmo e se apressaram em aumentar o aporte de oxigênio.

Ambos aceleraram os passos e, minutos depois, se aventuravam mais uma vez nas entranhas do mais nobre e complexo dos órgãos do corpo. O cérebro não é somente o centro do comando; é a essência da existência e da consciência humana. Silenciá-lo é calar a vida. Trocá-lo, se fosse possível, seria substituir a personalidade.

No dia anterior, dr. Alan havia ficado doze horas no centro cirúrgico. Foram duas grandes cirurgias. Agora estava nas suas primeiras horas de trabalho, e nada de anormal ocorria com ele, embora não tivesse dormido bem e apresentasse sinais de fadiga. Durante a cirurgia, tudo parecia transcorrer normalmente. Claro, o normal na história dele era lidar com o imprevisível e não dar trégua ao seu cansaço crônico. Felizmente, a hemorragia cerebral estava sendo estancada, o que anunciava mais uma cirurgia de sucesso. Se a intervenção tivesse demorado um pouco mais, a percepção de todos era de que o médico-paciente não teria sobrevivido.

De repente, na parte final da cirurgia, o peito do dr. Alan começou a vibrar. Sentiu um desconforto crescente. Começou a ter dificuldade de respirar. Ofegante, tentava puxar o ar com mais força para oxigenar seus pulmões, porém o desconforto não passava. A vibração no peito aumentou, e ele não teve dúvidas de que seu coração disparara descontroladamente; começou a ter sensação de formigamento no tórax. Dr. Ronald, dr. Marcio, o anestesista, e mais três enfermeiras perceberam que havia algo de errado com o ilustre médico. Sua testa sempre seca começou a pingar suor.

– Alan, tudo bem? – indagou dr. Marcio.

Ele, que nunca revelava fragilidade nem se queixava de dor, tentou se controlar. Falou com a voz sufocada:

– Sim...

Naquele momento, bilhões de células do seu corpo lhe suplicavam, na forma de taquicardia e falta de ar, que fugisse da situação de risco. Entretanto, ele nunca deixava nada inacabado. Insistiu em finalizar a delicada cirurgia. Mas se espantou ao não conseguir se controlar. Ele, que sempre administrara sua ansiedade, ou que sempre acreditara nisso, agora estava superestressado, abalado, combalido. Encontrava-se num terreno desconhecido, jamais pisado.

Há um momento em que mesmo os mais fortes e previsíveis seres humanos penetram em ares nunca antes respirados, vivem inimagináveis capítulos da insegurança. Chegou a vez do dr. Alan. E, para piorar seu drama, ele começou a sentir uma dor no tórax que irradiava para o braço esquerdo. Foi nesse exato momento que o mais sutil e o mais hostil dos fantasmas da emoção, o mais presente e o mais subliminar dos alarmes, o mais primitivo e o mais atual dos medos começou a assombrá-lo. Foi invadido pelo medo de enfartar e de morrer subitamente sem ter o direito de defender a própria vida.

Medo, pensava convictamente até então, não fazia parte do dicionário da existência de alguém que, como ele, era acostumado a lidar com a vida e a morte diariamente. Mas agora se curvava como um humilde servo diante do monstro que surgia das cinzas da sua mente. E foi nesse cálido instante que descobriu que, entre saber que se é um mortal e se sentir clara e convictamente um mortal, há mais mistérios do que imagina nossa vã medicina. Dinheiro, *status*, imagem social, poder, cultura se retraem como tímidos raios solares diante da intrepidez da noite... Os homens-deuses desabam e recebem a marca solene de que são profundamente humanos, simplesmente humanos... E nada mais.

O gigante dr. Alan despencou do céu para a Terra. E pronunciou o mais importante nome entre bilhões:

– Lucila...

O nome da filha estava gravado em chamas em sua memória, ocupava o centro dos seus eventos mentais, mas, infelizmente, ele não tinha tempo para ela e muito menos para si. Nesses instantes, que prenunciavam que silenciaria sua voz para sempre, sua mente, como mecanismo de defesa, produziu um cenário surreal, como se vivesse aquilo com que ele sonhava mas não realizava. No primeiro *flash*, estava pescando pacientemente ao lado da filha. Era um homem que tinha tempo para as pequenas coisas da vida. No segundo *flash*, Lucila se escondia atrás das árvores, e ele tentava achá-la, gritando seu nome: "Lucila? Lucila? Sou perito em encontrar meninas levadas!". Ao encontrá-la, começava a rolar divertidamente com ela na grama. No terceiro *flash*, ensinava sua menina a dar os primeiros passos de dança de salão. Era o professor mais desajeitado que poderia existir.

Foram imagens mentais simples, belas, arrebatadoras, que escondiam o segredo do dr. Alan: ele queria corrigir sua rota, mas sentia que as janelas de oportunidades estavam fechadas. Por isso, voltou-se como um raio para a cena real. E teve uma sensação brusca de que iria desmaiar sobre a mesa cirúrgica. Desesperado, pediu com esforço ao dr. Ronald que terminasse a operação.

– Continue, por favor, termine...

E afastou-se da mesa para não prejudicar o paciente. Eram dois médicos em colapso, um na mesa de cirurgia, sendo operado, e outro operando. Eram dois seres humanos extremamente úteis para a sociedade e, ao mesmo tempo, carrascos de si mesmos. O anestesista rapidamente o socorreu; sentou-o numa cadeira e chamou uma equipe para atendê-lo.

– Estou morrendo, Marcio...

O anestesista mediu sua pressão: dezoito por doze.

– Você sempre teve pressão alta? – dr. Marcio indagou.

Dr. Alan não tinha forças para lhe responder. O homem que antes parecia inabalável estava abatidíssimo, sem cor, sem vigor, sem esperança. Dr. Paulo de Tarso rapidamente apareceu na sala de cirurgia. Colocou o estetoscópio sobre o lado esquerdo do tórax do dr. Alan, mediu novamente sua pressão e, em seguida, com a ajuda de dois enfermeiros, conduziu-o apressadamente à UTI. No caminho, indagou-lhe:

– O que aconteceu, Alan?

Dr. Alan estava agitado, sentia dificuldade de respirar.

– Estou enfartando, Paulo...

– Vamos cuidar de você!

– Estou morrendo... Chame a Lucila. Chame a Claudia.

Paulo de Tarso, um dos raros médicos que era verdadeiramente seu amigo, tentou acalmá-lo:

– Você viverá décadas para nos dar broncas e nos atazanar.

Contudo, o neurocirurgião não conseguia relaxar. Não era algo banal, não era uma sensação fugaz, não era uma angústia comum, mas uma convicção de que estava nos instantes finais de sua história. E tudo o que queria era ter mais um dia para se despedir de quem mais amava. Queria ter tempo de pedir desculpas.

– Paulo, nunca fui fraco, Paulo... Realmente estou no fim. Se não der tempo, diga à minha filha que eu a amo muitís...simo.

– Eu direi, Alan... mas...

– Peça que me perdoe...

Não conseguiu continuar; começou a chorar, e Paulo de Tarso ficou preocupadíssimo. Jamais tinha visto dr. Alan naquele estado.

Foi um alvoroço no portentoso hospital, do qual Alan era um dos maiores acionistas. Foi a notícia mais comentada entre os mais de dois mil profissionais que nele trabalhavam, incluindo trezentos e cinquenta e três médicos. O médico mais famoso da instituição estava prestes a fechar seus olhos para a vida.

7

Todos, menos eu!

À chegada na UTI, todas as providências foram tomadas: exames emergenciais, como eletrocardiograma, ecocardiograma e de sangue. Todos queriam que o ícone do hospital continuasse a sua história.

– Não me sedem; preciso ver a Lucila – dr. Alan pediu aos seus colegas.

Além de Paulo de Tarso, havia mais quatro médicos assistindo-o. Crianças não podiam entrar na UTI sozinhas e, mesmo com acompanhante, só em horários rigorosamente controlados, devido à delicada situação dos pacientes, à possibilidade de contaminarem o ambiente com bactérias resistentes e até de se contaminarem. No entanto, tão logo Lucila chegou, permitiram-lhe que entrasse por brevíssimos instantes. Ela correu para abraçar o pai.

– Papai, papai, não morra... – disse chorando.

– Filha, eu te amo! Perdoe a falta de tempo do papai... Você foi... o melhor acontecimento da minha vida... – E também verteu suas lágrimas represadas.

Todos os médicos e enfermeiros ficaram com os olhos embaçados. As palavras são insuficientes para descrever o momento de ruptura entre pais e filhos.

Claudia também entrou na UTI e o abraçou.

– Desculpe-me, querida...

– Seu pai vai ficar bom, Lucila... Vamos fazer de tudo... Agora você precisa sair, querida – comentou dr. Paulo, que não queria que dr. Alan ficasse muito emocionado ou ansioso.

Mas a filha não queria abandonar seu pai. Não queria saber de explicações, de riscos de contaminação, pois estava contaminada com a mais penetrante das dores – a dor da perda. Soltou-se do cardiologista e agarrou as pernas de Alan.

– Você disse que nunca iria me abandonar, papai. Não me deixe...

Nesse momento, Alan sentiu a dor torácica piorar. Mais uma vez não cumpriu o que prometera. Um enfermeiro forte pegou Lucila no colo e a tirou do quarto, junto com Claudia. A menina esperneava e balançava os braços e clamava por seu pai:

– Papai... papai...

Dr. Alan ficou tão agitado que precisaram dar-lhe um tranquilizante. Para fazer efeito mais rápido, optaram pela via intravenosa. No entanto, uma hora depois, ele já estava acordado de novo, tão altos eram os níveis de sua ansiedade. Ao despertar, por instantes pensou que tivesse morrido. Dr. Paulo estava ao lado da sua cama com uma série de imagens nas mãos.

– E aí, Paulo... O enfarto foi intenso?

O cardiologista trazia um sorriso no rosto. Alguns médicos o acompanhavam para dar a notícia.

– Não foi dessa vez, Alan. Você não enfartou!

Fatigado pelo efeito tanto do estresse quanto do ansiolítico, em vez de comemorar o diagnóstico dr. Alan desconfiou drasticamente dele. Se já era um especialista em desconfiar dos diagnósticos que outros médicos davam aos pacientes que o procuravam, agora que era o paciente desconfiava muito mais.

– Não enfartei? Mas como é possível? Tem algo errado...
O cardiologista garantiu:
– Os exames laboratoriais, inclusive o eco e o eletro, não indicaram nada.

– E o formigamento, a dor e o aperto no peito? E a irradiação para o braço esquerdo? E a tremenda falta de ar que senti?

– Fique feliz, homem! – expressou seu amigo. – Provavelmente foi emocional.

– Emocional, Paulo? Eu...? Você só pode estar brincando!

O homem que havia se curvado diante do império do medo ressuscitou surpreendentemente sua coragem. Vivenciou uma sensação estranha. Não apenas achava o diagnóstico um absurdo, como teve seu orgulho ferido. Em sua cabeça, tudo o que sentira não podia, em hipótese alguma, ter origem emocional.

– Não admito um diagnóstico rápido! Estou cansado de ver exames falso-negativos.

– Mas, Alan... – tentou ponderar dr. Paulo, que não conseguiu completar seu pensamento.

– Além disso, o que vão pensar de mim? Que o dr. Alan teve um *piripaque*? Tenha santa paciência!

Dr. Paulo ficou constrangido com o enfrentamento diante de outros colegas e enfermeiros.

– Bem, Alan, nós ainda estamos investigando, mas suspeito que sua crise tenha sido de origem emocional.

– Suspeita? A medicina não vive de suspeitas. As hipóteses não devem carregar o tom da verdade.

– Bem, continuaremos a investigar, mas seja sensato: você trabalha pelo menos doze horas por dia, dorme pouco, se alimenta mal, não pratica esportes, não...

– Espere um pouco, meu caro cardiologista, você não é psiquiatra. E, além disso, os psiquiatras dizem que tudo é psicossomático. Faça uma investigação profunda. Seja lógico, homem! – falou o colega num tom crítico. E, rapidamente, arrancou o acesso venoso do braço, levantou-se do leito e tentou sair.

– Espere. Não saia assim!

– Se você está tão seguro de que meu caso é emocional, por que me segurar nesta masmorra?

– Todos aqui chegamos à mesma conclusão. Sou seu amigo, mas, se você quiser a opinião de outros cardiologistas, fique à vontade. Ou, se preferir ir ao meu consultório, podemos repetir os exames e fazer outros, como a cintilografia.

Dr. Alan sabia que o dr. Paulo de Tarso era um dos melhores cardiologistas do país. Embora desconfiasse do seu diagnóstico, precisava lhe dar crédito. O pavor da morte fora tão angustiante que resolveu aceitar o convite para uma nova avaliação no consultório do amigo. Feitos os exames na tarde do mesmo dia, confirmou-se que o coração do dr. Alan estava preservado.

– Não foi dessa vez que você enfartou. Realmente seu coração está em dia.

– Os exames denunciam que não tive um enfarto, mas cada corpo tem um metabolismo, cada coração tem seus mistérios.

– Mas o que você preferiria? Apresentar um quadro psicossomático ou ter um enfarto?

– É óbvio que o quadro psicossomático. Mas a experiência que tive foi horrível.

Dr. Paulo resolveu dar-lhe um conselho, embora estivesse temeroso de sua reação:

– Desculpe a sugestão, mas que tal procurar um psiquiatra ou, quem sabe, um psicólogo?
– Um profissional de saúde mental? O que eles entendem do coração?
– Eles são especialistas em...
– Em filosofar... – dr. Alan disse com ar de indiferença e completou, categórico: – Não preciso de psiquiatra. Sou um amante da lógica. E minha lógica me diz que preciso diminuir o ritmo e descansar. Só isso...
– Ótimo, pelo menos sua crise serviu para alertá-lo sobre seu estilo de vida.
Os dois amigos se despediram.

Ciente de que precisava rever sua agenda, Alan tirou uma semana de férias para viajar. Claudia ficou felicíssima. Lucila não pôde ir com eles por causa das aulas.
– Papai, eu queria tanto ir com você!
– Eu volto logo, filha.
– Mas descanse, papai, promete?
Ele bateu continência e afirmou:
– Prometo, meu general.
Pegou o avião com um sorriso no rosto. Não se estressou com as pesadas malas, com o trânsito infernal até o aeroporto nem com a longa fila no *check-in*. Parecia ter mudado. Parecia que aquelas seriam as férias perfeitas para repor as baterias. Entretanto, quando ele passou pelo aparelho de raios x, na sala de embarque, e o alarme soou, ficou tenso. Mas só um pouco. Esquecera seu amuleto inseparável dentro do bolso: o celular. Falava pelo menos cinquenta vezes por dia com pacientes e professores de medicina do mundo todo;

só não falava consigo mesmo. Refez-se e passou novamente pelo aparelho. Entretanto, infelizmente, este apitou de novo.

— É brincadeira! — reclamou mais intensamente.

Esquecera algumas míseras moedas no bolso do blazer. Tão sem valor, mas lhe roubaram a paciência. Teve vontade de atirá-las ao ar, porém se controlou, colocou-as na bandeja disposta na esteira e novamente passou pelo aparelho de raios x. E a máquina infernal soou pela terceira vez. Agora Alan não se aguentou:

— Não é possível! Estão sabotando minhas férias! — disse em tom alto e tenso.

Muitos, inclusive um policial, perceberam, preocupados, sua inquietação. Respirando profundamente, Alan vasculhou os bolsos atrás do objeto que o fizera dar vexame. E o encontrou.

— Um bendito alfinete deixado por você, Claudia. Não é possível!

Claudia já havia passado pela máquina e aguardava o "ritual" do marido, que novamente passou pelo aparelho, sendo liberado desta vez. Ou nem tanto. Foi chamado à parte para ser escaneado de cima a baixo por um policial. Dr. Alan, que normalmente não gostava de ostentar seu *status* e poder financeiro, só queria finalizar logo aquele tribunal da inquisição e tentou se impor:

— Espere um pouco, eu sou...

— Não importa quem o senhor é; preciso examiná-lo — enfatizou o policial.

Dr. Alan tirou o cinto e os sapatos e levantou os braços. Sentiu-se como se estivesse sendo crucificado pelo paranoico sistema de segurança. O policial, despreparado, passou o detector de metais sem delicadeza pelo seu corpo; depois começou a apalpar os braços, as pernas e a virilha do médico.

– Quer que eu lhe ensine a fazer exame médico? – indagou dr. Alan, irritado.

– O senhor está me desacatando! – afirmou, irritado, o policial.

– Todo mundo aqui é terrorista até que se prove o contrário? – comentou, bufando de raiva para o policial.

Claudia queria socorrê-lo, mas pensava que, se interviesse, só prolongaria o conflito. No entanto, à pronúncia da palavra "terrorista", foi um Deus nos acuda. As pessoas que cuidavam do aparelho de raios x entraram em pânico. Seguranças armados apareceram subitamente e levaram o homem para uma sala especial. Dr. Alan, o cirurgião que não vivia para si, foi tratado como um possível terrorista suicida. Examinaram detalhadamente sua bagagem de mão. Pediram seu passaporte e colheram uma série de informações. Por fim, descobriram que o homem à frente deles era um famoso médico que só sabia salvar vidas, e não colocá-las em risco.

– Desculpe-nos, senhor, é para a sua segurança.

Um pouco contrariado, dr. Alan aceitou as desculpas e seguiu sua jornada. Afinal de contas, seu objetivo primordial era relaxar. Lembrou-se do que prometera à filha.

Já no primeiro dia de férias, colocou chinelo de dedo e ensaiou caminhar pela praia.

– Parabéns, querido, que bom vê-lo informal, solto, leve – afirmou Claudia. – Vamos caminhar juntos.

Seu corpo estava de férias, porém dr. Alan esquecera de dar férias à sua mente. Ficou pensando nos artigos que deveria escrever e nos compromissos que havia assumido. À tarde, sentiu fagulhas de tédio. Não sabia que não apenas drogas como cocaína e álcool causam dependência, mas também o excesso de trabalho e viver perigosamente. E sabia menos ainda que uma mente agitada e hiperpensante leva ao envelhecimento precoce da emoção, cujos sintomas principais são a insatisfação crônica, a crítica excessiva, a dificuldade de se reinventar e relaxar, detestar o tédio, levar tudo a ferro e fogo. Seu ânimo flutuava descontroladamente: num momento estava calmo; noutro, explosivo.

No segundo dia, seu humor já não era o mesmo. Como era um especialista em sofrer por antecipação, não entendeu por quê, mas a temperatura da sua tensão aumentou. Claudia chamava-lhe a atenção para as nuances das belas paisagens.

– Veja, querido, que ondas incríveis! Que paisagem linda!
– Onde?
– Observe a tela azul do mar com borbulhas arrebentando na areia.

Ele se esforçava para ver o que ela via, porém não enxergava com a mesma intensidade. Esforçava-se para se concentrar no mundo concreto por alguns momentos, mas logo viajava ao mundo das ideias. Entretanto, sentia-se relativamente equilibrado.

No terceiro dia, depois de ler todo o jornal pela manhã, começou a ter tiques nervosos: movimentava seus dedos e batia suas mãos nas pernas. No almoço, reclamou da comida e do atendimento dos garçons.

– Um hotel tão caro e oferece esta comida e ainda com este serviço!

Ele tinha o direito de reclamar, contudo também tinha o direito de contemplar o belo, de fazer das pequenas coisas um espetáculo aos seus olhos. O eficiente profissional não era eficiente em irrigar sua emoção. Precisava de muitos eventos para sentir migalhas de prazer. Era um dos milhões de mendigos da era moderna. Não entendia a máxima da psicologia da emoção: quem faz muito do pouco é verdadeiramente rico; quem precisa de muito para sentir pouco é um miserável. A necessidade neurótica de se sentir útil e reconhecido, ainda que legítima, era uma emboscada mental.

– Podemos ir a outro restaurante – disse sua esposa na tentativa de acalmá-lo.

Alan fez um gesto indicando que ficariam ali mesmo. E, de repente, questionou-a:

– Por que colocam tanto sal na comida, Claudia?

Claudia cortou sua irritação com uma afiada lâmina:

– Se você se preocupa tanto com a comida física, deveria se preocupar minimamente com seu alimento emocional. Você azeda sua alma com essas reclamações.

– Eu reclamo o que é justo!

– Não importa se é justo. Isso faz bem a você?

– Repare no tipo de música ambiente que colocam. É insuportável!

– Não é só a música que está insuportável. – Ele se assustou com a indireta. Em seguida, Claudia comentou: – Eu estou aqui, mas você não me percebe... Você não sabia que o estresse destrói até os mais belos romances?

Claudia se levantou chateada e se dirigiu à varanda do restaurante, que dava para o mar, para tomar um ar. Alan respirou e foi até ela.

– Preciso mudar meu estilo de vida. Desculpe-me, Claudia, você está linda.

Depois desse breve conflito, os dois tiveram um dia maravilhoso.

Os dias se passaram, e, em vez de continuar curtindo as férias, Alan queria voltar ao seu ritmo alucinante. Detestava a rotina, não conseguia fazer coisas simples. No fim do período de descanso, Claudia, vendo sua inquietação, tentou adverti-lo:

– Alan, querido, você é um brilhante profissional, mas é de carne e osso.

– Estou ótimo. Recuperei as energias, estou pronto para uma nova jornada.

Suas férias foram merecidas e, apesar de curtas, lhe fizeram muito bem. Sentia-se renovado.

Nos dias que se seguiram, voltou pouco a pouco ao cardápio intenso das atividades do hospital. Mas se sentia constrangido diante das pessoas. Parecia que tirar férias era algo proibido para esse soldado que só sabia viver em tempo de guerra.

Além disso, considerou que seu falso enfarto fora um escândalo na instituição. Ficava desconfortável quando alguém lhe perguntava "Como está, Alan?", ou dizia "Veja só a sua cor. Pegou um sol, hein!?", ou "Sua saúde está melhor?". Mas o que realmente o perturbava, para não dizer que o enfurecia, era ser barrado enquanto caminhava na instituição e indagado: "Está mais relaxado?".

– Falsos... – balbuciava para si.

Desse modo, retomou sua vida como ela sempre fora. Seguiu as pegadas da sua rotina. Ao que tudo indicava, os vampiros de sua emoção resolveram adormecer, dar-lhe trégua, pelo menos por algum tempo...

8

Abalos sísmicos emocionais

Todos no hospital acharam que o fato de o dr. Alan ter passado por aquelas avalanches emocionais contribuíra para que se tornasse um ser humano melhor. Não entrava mais em embates com facilidade. Suas críticas diminuíram. Passou a tolerar pessoas lentas.

Todavia, pouco a pouco, foi se esquecendo de que era um simples mortal. Voltou a operar com a mesma frequência, escrever artigos na mesma intensidade e aceitar convites para conferências com a mesma facilidade de antes.

Falar do cérebro e seus segredos era com ele mesmo. Certa vez, brilhou em uma exposição diante de uma plateia de quinhentas pessoas. Mas já não tinha o mesmo vigor; o desgaste mental era rapidamente sentido no corpo como sensação de fadiga, aperto no peito e leve falta de ar. Ouviu de muitos espectadores:

– Parabéns, doutor Alan, pelos excelentes ensinamentos.

Entretanto, ele ansiava sair daquele ambiente, que, por mais amplo que fosse, parecia um cubículo sem ar. Além de falar sobre os segredos do cérebro, suplicava às pessoas que praticassem esporte, dormissem e se nutrissem bem. Sem dúvida era um grande apóstolo do bem, mas não seguia seus próprios mandamentos. Sua vida era um rolo compressor.

Pouco a pouco, os velhos monstros reapareceram. Esforçava-se para não reclamar dos alunos relapsos, dos enfermeiros desatenciosos, dos colegas despreparados, mas não os suportava. Claro, não podia se omitir, precisava contribuir com eles, porém dr. Alan passava dos limites. Tinha uma das mais desgastantes necessidades neuróticas: a de mudar os outros. O resultado? Explodia.

— Como tem gente estúpida neste mundo, meu Deus! — dizia com facilidade.

Então, de repente, tentava botar ordem na casa, dizendo a si mesmo:

— Acalme-se, Alan. Acalme-se...

Contudo isso não funcionava, ou não funcionava por mais do que uma hora.

Tornou-se um mestre em sabotar sua saúde física e emocional. Era um ser humano contraditório. Só tomava água mineral porque não queria, em hipótese alguma, se contaminar com bactérias, mas não sabia filtrar estímulos estressantes. Coava uma mosca e deixava passar um elefante. O território da sua emoção era uma terra sem escritura, sem proprietário: qualquer um a invadia. Claudia, observando-o perder a paciência com facilidade, indagava-lhe:

— Você está tentando se controlar?

— Derrapo algumas vezes, mas estou conseguindo.

— Mas você ainda se estressa facilmente...

— E que mortal não se estressa, diga-me? Quem, por mais calmo que seja, não tem reações ansiosas? Que intelectual brilhante não tem atitudes tolas? Só se estiver no silêncio de um túmulo — dizia rapidamente e com astúcia.

Claudia se calava. Era muito difícil vencê-lo se desse a ele trinta segundos para argumentar. Era um gênio. Gênio na profissão, ingênuo em promover sua qualidade de vida. Mais um paradoxo de muitos intelectuais...

– Por favor, querido, cuide de si. Cuide de nosso casamento. E cuide de Lucila.

– Está certo, general – expressava, brincando com a esposa como fazia com a filha.

– Você é que é um general. Eu, Claudia Alcântara, sou uma simples soldada tentando marcar audiência com quem amo.

– Você tem prioridade na minha agenda.

Ninguém tinha prioridade na sua agenda; nem mesmo ele, só seus compromissos. Na semana posterior às suas férias, levou Lucila para jantar. Foi um momento memorável. Percebendo como a menina estava angustiada, disse-lhe:

– Você parece um pouco triste, minha filha.

– Não é nada.

– Fale, filha. Sou seu pai, sou seu melhor amigo.

– É que um menino na minha classe falou que eu não tenho pai. Então eu briguei com ele.

– Que menino mau, minha filha. Isso é *bullying*! Vou ligar para a diretora.

– Mas, papai...

– O quê, princesa?

– Fiquei pensando... será que ele não tem razão?

– Por que ele teria razão?

– Porque você... você nunca me levou para a escola, nunca participou das festas, nunca foi a uma reunião de pais.

Dr. Alan congelou um suspiro e, em seguida, balançou a cabeça em sinal de concordância.

– Filha, eu vou reparar isso. O papai está saturado de atividades neste mês, mas prometo que, assim que meus compromissos diminuírem, procurarei levá-la à escola de vez em quando, curtir as festas e participar das reuniões de pais.

– Eba! Obrigada, papai. Você me deu o melhor presente do mundo!

Finalmente, parecia que as bases da relação com a filha iriam mudar.

Um dia após essa conversa, dr. Alan realizava uma cirurgia delicadíssima para extrair um grande tumor de um paciente de meia-idade. O risco de lesar áreas nobres do cérebro e comprometer a visão era grande. Estava fazia sete horas no centro cirúrgico. Subitamente, o terremoto emocional que parecia ter desaparecido de sua vida retornou. Ele teve taquicardia intensa, suor excessivo, sentiu falta de ar e pressão no peito. E um sintoma novo apareceu: tremor nas mãos. Dessa vez não teve dúvida, estava em seus últimos minutos de vida.

– Continue, Ronald, continue...

Um medo incontrolável e indescritível de morte súbita encarcerou sua mente. Um novo ritual se instalou. O anestesista fez o primeiro atendimento. Mediu sua pressão: dezoito por onze. Estava alta.

– Vou ter uma parada... cardíaca – falou, claudicando.

O anestesista, desesperado, deu-lhe uma dose de ácido acetilsalicílico e chamou a emergência. Dr. Paulo de Tarso, seu dileto amigo e fiel escudeiro, novamente foi acionado às pressas. Encontrou-o a vinte passos da entrada da UTI.

– O diagnóstico estava errado! – Dr. Alan apontou para o cardiologista. – Estou realmente enfartando!

– Calma, Alan. Vamos descobrir o que é e tratá-lo – disse dr. Paulo, ansioso, sabendo que, se tivesse errado o diagnóstico, poderia não apenas perder o amigo, mas também manchar ou até enterrar sua carreira. Ponderou para si: "Será que tudo foi falso-negativo, ou será que o primeiro ataque não foi um enfarto, mas este é? Coincidências não são impossíveis". Enfim, estava confuso e não queria pecar por falta de zelo médico. Novamente, uma saraivada de exames foi pedida. Horas depois, vieram os resultados.

– E aí, Paulo?

– Nada. Nenhum exame acusa que você enfartou. A irrigação dos músculos cardíacos está perfeita. Átrio, ventrículos, tudo em ordem. Só um pequeno prolapso da válvula mitral, muito comum na população em geral.

– Não é possível!

– Tudo indica que você teve mais uma crise emocional, um ataque de pânico.

– Ataque de pânico? Eu, Paulo?

– E por que não, Alan? Ninguém é perfeito.

– Eu cuido do cérebro dos outros, e o meu está me traindo? Tenha santa paciência!

– Traindo ou avisando.

– Avisando do quê?

– Já lhe disse, da sua sobrecarga de trabalho.

– E a sua sobrecarga? E a das centenas de médicos desta instituição? E a dos magistrados, promotores, executivos, professores? Quem é poupado nesta sociedade? Todos serão vítimas de ataques de pânico?

– A sobrecarga da mente se manifesta de várias formas, com os mais diversos sintomas psicossomáticos. O coração é um dos órgãos mais agredidos pela ansiedade crônica.

— Concordo, mas não no meu caso. Sinto que estou no apagar das luzes da vida. E essa sensação é terrível. Será que meu instinto cerebral é mais esperto do que minha inteligência? Acreditar nisso é o apogeu da ingenuidade.

— Você é inteligente e tem convicções fortíssimas. Mas, infelizmente, é quase imutável.

— Pela primeira vez vejo como é estar do outro lado, ser um paciente, estar numa relação desigual diante de um médico que lhe distribui conselhos rápidos e superficiais – disse a seu amigo cardiologista.

— Então procure outra opinião, Alan.

— Eu o respeito como amigo e médico, porém quero não uma, mas duas, três, quatro opiniões de cardiologistas.

Dr. Alan não voltou mais ao consultório de Paulo de Tarso. Bateu à porta de outros profissionais. Como era conhecido de todos, os cardiologistas que o assistiam eram minuciosos ao examiná-lo. E todos chegavam à mesma conclusão: não houvera enfarto.

— Nada, dr. Alan – disse um.

— Felizmente não sofreu um enfarto, professor – comentou outro. – A minha receita é um bom anti-hipertensivo e um tranquilizante.

— Sua pressão está irregular, mas a cintilografia mostrou que o tecido cardíaco está preservado – expressou ainda outro.

Dr. Alan saía das consultas indignado. Queria encontrar uma resposta concreta, palpável, para seu terror psíquico. Admitia que a emoção abalava o físico, mas não nessa magnitude e, obviamente, não o seu corpo. Era inadmissível que estivesse desabando por fenômenos psíquicos. Além da resistência ao tratamento, outro fantasma começou a assombrá-lo, um inimigo que ele jamais imaginou que o atingisse: o orgulho. Preocupava-se com o que seus colegas e pacientes pensariam dele. O orgulho, esse sentimento que infecta o psiquismo humano, às vezes é mais forte do que a própria dor.

9
Sentindo-se um animal

O neurocirurgião não procurou um psiquiatra, nem um psicoterapeuta. Pensou que tirar outras férias e ter momentos únicos para refletir reciclaria seu estilo de vida e, consequentemente, o levaria a fazer as pazes com sua emoção. Resolveu, desta vez, viajar com sua querida e esperta filha. Aproveitou um feriado prolongado e pediu a Evelin, mãe de Lucila, que a deixasse faltar dois dias na escola. Passariam seis dias juntos, um tempo mágico. E assim foi nos primeiros dias. Pai e filha corriam atrás um do outro, imitavam as pessoas nas ruas e faziam surpresas mútuas.

Mas, no meio das férias, ocorreu um imprevisto. Numa manhã, bem cedo, quando sua filha ainda estava dormindo, dr. Alan, que, pelo hábito de cirurgião, já se encontrava desperto, tomava ar na entrada do hotel quando viu, bem à sua frente, um grave acidente de trânsito envolvendo toda uma família: os pais e um casal de filhos. O carro colidira com um caminhão que trafegava imprudentemente.

Dr. Alan foi um dos primeiros a socorrer as vítimas. Todas pareciam conscientes; somente uma menina, da mesma idade de Lucila, estava inerte. Alguns dos transeuntes estavam tão desesperados que queriam tirar à força a família do carro. Mas dr. Alan, mostrando as atitudes de quem entendia de acidentes, bradou por calma:

– Não se precipitem. Qualquer atitude pode comprometer a coluna vertebral se estiver lesada ou piorar possíveis fraturas cranianas.

O médico tentava conversar com os passageiros, mantê-los conscientes. De repente levou um choque. O pai da família acidentada disse:

– Alan... Alan... nos ajude.

– Você me conhece? – indagou ao condutor do veículo, cujo lado esquerdo do rosto sangrava. Não dava para ver sua face direita, pois ele estava com a cabeça fletida.

– Sou eu, Paulo de Tarso...

– Não é possível... Paulo? É você, meu amigo?

– Sim, por favor... – E deu algumas tossidas. – Salve meus filhos.

O colapso psicossomático de Alan fora um alerta para que o cardiologista também monitorasse sua vida, vivesse mais suavemente, pois estava apresentando cefaleia e dores musculares crônicas. Encorajado por Claudia, amiga de sua esposa, Paulo tirara férias no mesmo período e viajara para a mesma cidade onde Alan e Lucila se encontravam. Hospedara-se em um hotel próximo, pois assim seria capaz de monitorar a distância o amigo, que poderia ter um novo ataque de pânico.

– Ana, como você está? – Alan perguntou à esposa do amigo.

– Com muita dor nas costas... mas suportável.

– Filho, e você? – indagou o cardiologista.

– Estou bem, papai, apenas meu nariz está sangrando – disse o garoto.

– Ana Laura? – o pai chamou ansiosamente. Mas nada. Infelizmente o silêncio, tão caro num hospital, é sempre mordaz num acidente. – Filha, minha filha... ela está desmaiada, Alan... Será que...

– Acalme-se, Paulo – pediu o neurocirurgião, que esticou as mãos e sentiu o pulso da garota. – Ela está viva.

Mas o pai sabia que ela poderia ter tido um trauma grave.

– Por favor, cuide de minha filha, Alan. Por favor, não a entregue... nas mãos de ninguém – suplicou Paulo de Tarso, aos prantos.

– Sua filha é minha filha. Vou cuidar dela.

Dinheiro compra bajuladores, mas jamais um amigo verdadeiro. Dr. Alan sabia que Paulo de Tarso não estava lá apenas por uma viagem de férias...

Ele acompanhou Ana Laura na ambulância. Pediu uma série de exames, analisou-os acuradamente e concluiu que precisava operá-la com urgência. A menina sofrera fratura craniana e apresentava o indesejável: hemorragia cerebral. Não precisou se apresentar; os neurologistas conheciam o famoso mestre e entregaram o centro cirúrgico em suas mãos.

Antes de entrar na sala, Alan ligou para o quarto de sua filha, que assistia a um desenho animado.

– Filha, desculpe-me por não estar aí.

– Onde você está, papai?

– Com sua amiga Ana Laura.

– Ana Laura, a filha do tio Paulo de Tarso?

– Ela mesma. Vou ter de operá-la de urgência. Mas tudo ficará bem – disse, e explicou rapidamente o ocorrido.

Foi uma cirurgia dificílima tanto pelo envolvimento emocional quanto pela complexidade da cirurgia. Dr. Alan tinha medo de que, se a menina se salvasse, ficassem sequelas graves.

E o monstro que o assombrava voltou a aterrorizá-lo. Seu estresse deflagrou uma nova crise de pânico. Por instantes, pensou que não conseguiria salvar Ana Laura. Sua mente saiu do ambiente concreto e o transportou para o velório da menina. Foi uma imagem horrível.

Nenhum dos presentes entendeu o que estava ocorrendo com o famoso e seguro neurocirurgião. Viram-no suar e, em alguns momentos, suas mãos tremerem. Ele fazia pausas inexplicáveis. Mas os intelectuais são mesmo estranhos, pensaram os profissionais que observavam a cirurgia. O coração e os pulmões do dr. Alan suplicavam-lhe que fugisse da situação de risco. Entretanto, usando as últimas gotas de energia que lhe restavam, ele resistiu bravamente. Morreria, porém não deixaria de operar a filha de seu melhor amigo. Por fim terminou os procedimentos principais. Em seguida solicitou ao assistente.

– Estou envolvido emocionalmente... Essa menina é como minha filha. Por favor, termine – desculpou-se.

Saiu da sala cirúrgica e foi direto ao banheiro. Seu esforço fenomenal e seu estresse foram tão dantescos que teve crises de vômito. Parecia que queria pôr para fora os vilões que o perturbavam.

Depois desse evento, teve de acompanhar o delicado pós-operatório de Ana Laura e a evolução do quadro de Paulo de Tarso, de sua esposa e de seu filho. Infelizmente, as férias com Lucila foram comprometidas, embora por uma causa nobre. Mais uma vez, o sacerdócio da medicina gritara mais alto do que o lazer.

Agora dr. Alan colecionava três ataques de pânico. E, depois desses episódios, começou a ter o mais sutil e poderoso de todos os medos: o medo do medo.

* * *

A claustrofobia pode ser, se não revertida, ao menos evitada ao não se ficar em lugares fechados. A fobia de animais pode ser evitada ao manter-se distância de bichos supostamente ameaçadores. A acrofobia pode ser aliviada ao não se expor a alturas. A fobia social pode ser abrandada, por exemplo, ao se evitar expressar-se em público. Mas e o medo do medo? E o medo do próximo minuto, do passo seguinte ou da próxima curva da existência? É o demônio do dia.

– O que o preocupa, Alan? – Claudia indagou certa vez.

– Tenho a impressão de que a vida é tão efêmera... Viver é um contrato de risco sem cláusulas definidas – disse o homem que até pouco tempo antes jamais havia mostrado qualquer tipo de fragilidade.

– Não entendo. Você sempre foi um gigante ao lidar com esse risco.

– O gigante tropeçou ou nunca existiu... Parece que as vendas caíram dos meus olhos.

– Venha cá, meu herói. – E o abraçou. E ele se entregou a ela.

Foi uma das raras vezes em que Claudia se sentiu importante para Alan. O intelectual que dizia domar sua ansiedade era, agora, dominado por ela. Antes acreditava que, se não houvesse acidentes externos, nada furtaria sua felicidade e sua estabilidade emocional, mas fora atropelado drasticamente por um acidente interno. Descobriu nas entranhas da sua mente uma lição inevitável e fundamental: que as gotas do céu umedecem a terra e as gotas dos olhos umedecem a humildade e fazem crescer a essência humana. Desse modo, enxergou o que sempre foi: um simples ser humano, marcadamente mortal, cuja segurança se fundamentava em alicerces inconfiáveis.

Dr. Alan ainda não conhecia a teoria das janelas da memória. Embora fosse estudioso de várias áreas da medicina, ignorava que o ser humano acessa sua memória por áreas ou janelas específicas e que seu maior desafio é abrir o máximo de janelas saudáveis, ou light, para dar respostas inteligentes. Os ataques de pânico do dr. Alan foram registrados em seu cérebro de maneira privilegiada, gerando janelas traumáticas, as janelas killer duplo P.

Essas janelas não assassinam o corpo, mas bloqueiam o processo de leitura de milhares de outras janelas saudáveis que armazenam milhões de informações, contraindo, assim, sua racionalidade. Preso por uma janela killer, um ser humano torna-se irracional. Sem que soubesse, o neurocirurgião fechava o circuito da memória em cada ataque de pânico.

Suas janelas traumáticas eram duplo P, porque tinham duplo poder: o poder de encarcerar o Eu, que representa a capacidade de escolha, e o poder de ler e reler as crises de pânico e retroalimentá-las. Freud acreditava que o trauma original era o grande problema, mas, na realidade, é a retroalimentação que adoece o ser humano dia a dia. As janelas killer duplo P são traumas marcantes produzidos por estímulos altamente estressantes, como traição, perdas, humilhação pública.

— Eu não quero me tratar. Eu vou me resolver — disse certa vez à esposa o intelectual que desconhecia as camadas mais profundas da sua mente.

Para ele, procurar ajuda terapêutica era sinal de fragilidade. Não é simples tratar intelectuais ou médicos, e é ainda mais difícil tratar cirurgiões que, num ato cirúrgico, fazem "milagres".

Como se recusara a fazer tratamento e não aprendera a ter um Eu capaz de gerenciar a mente, a releitura constante dos ataques expandira não apenas seu transtorno psíquico, como também o medo de um novo ataque, o que deflagrava crise atrás de crise. No início elas ocorriam em ambientes mais estressantes, como o centro cirúrgico. Mas, pouco a pouco, começaram a eclodir em outros ambientes, como em seu consultório, na casa de amigos, no interior dos bancos, em restaurantes. Os ataques não reciclados arquivavam vexames sociais e o sentimento de impotência, autopunição e medo do futuro.

Por fim, dr. Alan arrefeceu e admitiu que precisava da psiquiatria e da psicologia. Mas não era um paciente comum. Para o homem que extirpava tumores, estancava hemorragias e eliminava aneurismas, não era fácil lidar com fenômenos invisíveis. Certa vez, num diálogo com um psiquiatra, expressou com inteligência:

– "Nunca o vi, sempre o temi", é assim que se define o fenômeno que me assombra. Como enfrentar o intangível? – E acrescentou: – Criei meus monstros e permiti que eles me dominassem. Como retomar as rédeas?

– O psiquismo é um labirinto. Às vezes nos perdemos dentro dele.

– Sempre fui sarcástico com as vítimas do medo. Eu operava com inigualável convicção. Agora tenho medo de que um paciente morra nas minhas mãos. Que fragilidade é essa? Contra ladrões, você coloca fechaduras, alarmes, câmeras, contrata seguranças, mas e contra os ladrões que furtam a mente humana? – comentou com perspicácia o neurocirurgião.

Apesar de ter procurado ajuda de profissionais de saúde mental e de tomar medicamentos, no fundo ele não admitia ter uma doença psíquica nem acreditava que o diálogo terapêutico pudesse ser eficaz.

Dr. Ronald se reuniu com a direção do Hospital Santa Cruz para tratar das crises de Alan sem que este soubesse.

– Alan tem tido duas crises por semana, pelo menos.

O diretor clínico do hospital, dr. Anderson Louzada, na presença de cinco diretores de departamentos, comentou:

– Mas ele é um grande cirurgião.

– Não neste momento. Ele não está em condições de operar.

– Como? Ele ainda é o grande nome do hospital.

Mostrando uma ponta de inveja, dr. Ronald falou:

– Era. Está perdendo sua habilidade. Ele pode cometer erros graves e comprometer a imagem do hospital.

– O que você sugere que façamos?

– Ele precisa tirar uma licença. Sempre cuidou dos outros. Agora chegou a vez de ele descansar. Sabemos que ele é resistente, mas seria uma injustiça com os pacientes e com ele mesmo não tomarmos essa atitude.

– Afastá-lo das atividades não vai agravar seu estado? – questionou Décio, outro diretor.

– Ele poderá clinicar. E, se quiser voltar à mesa cirúrgica, será nosso eterno professor.

Todos sabiam das crises de Alan, porém temiam dar-lhe a notícia. Temiam que ele se rebelasse; afinal de contas, era um importante acionista do hospital, embora houvesse mais de uma centena de outros sócios. No dia seguinte seu destacado discípulo, dr. Ronald, teve uma conversa honesta e dura com o mestre. Não o chamou de doutor como sempre fazia.

– Alan, me desculpe, mas você não está mais em condições de operar.

– Quem é você para afirmar isso? Fiz cinco brilhantes cirurgias esta semana!

– Sim... mas suas crises estão aumentando em frequência e intensidade. Talvez seja melhor descansar, parar temporariamente.

– Não posso! É no exercício da medicina que encontro sentido para a vida.

– Infelizmente, essa é a recomendação da direção do hospital.

– Recomendação da direção? Onde está o Anderson?

– Não pôde vir, mas eu trouxe uma carta do corpo clínico.

Alan a leu, incrédulo, atônito, perplexo. Era assinada por dez médicos-chefes dos mais diversos departamentos. Somente Paulo de Tarso se recusara a assiná-la.

– Fama não significa nada para mim, mas eu trouxe fama para este hospital... – disse Alan, indignado.

– Mas agora está trazendo pesadelos.

Dr. Alan não acreditou no que ouviu.

– É difícil, muito difícil mesmo, aceitar que tais palavras secas tenham saído do meu mais brilhante aluno. Esperava compreensão de sua parte, Ronald.

– Você me ensinou a ser pragmático.

– Não, eu lhe ensinei a tomar decisões rápidas, mas não insensíveis. Ensinei-lhe a deixar tudo pela vida de um paciente e não abandonar os feridos pelo caminho...

A inveja, o ciúme, a competição predatória, a exclusão não são fenômenos incomuns entre intelectuais e no seio das universidades. Mas, quando existem, são mais traumáticos do que para aqueles que nunca se sentaram nos bancos de uma universidade ou defenderam teses.

– Você tem como se virar. Está bem financeiramente.

– Números. Você me vê como um número ou como um ser humano?

Dr. Ronald não queria polemizar; sabia que perderia o debate. Deu-lhe as costas e fez menção de sair.

– É tudo o que você sempre sonhou, Ronald, me substituir. – O discípulo interrompeu a marcha. E dr. Alan acrescentou: – Gratidão é um sentimento sério. Quem não é grato aos alicerces que o precedem não é digno do sucesso que o sucede...

Aquelas palavras abalaram dr. Ronald e o levaram a sair rapidamente, sem se despedir. Como Alan no passado, Ronald tinha medo de entrar num campo desconhecido: a emoção. No dia seguinte, o discípulo assumiu de vez o famoso departamento de neurocirurgia do Hospital Santa Cruz, uma referência internacional.

– Sinto muito, Alan. Eu não apoiei essa decisão, mas fui voto vencido – disse Paulo de Tarso, que o aguardava à saída do hospital.

– Hoje conheci o sabor da exclusão e posso lhe garantir que ele é quase insuportável.

– Alan...

– Por favor, não diga nada. Palavra nenhuma pode consolar alguém quando lhe retiram o direito de ser um ser humano.

– O teatro da medicina nem sempre é um ambiente generoso.

O brilhante orador, extraordinário professor e eficiente cirurgião, dono de uma segurança ímpar, agora era considerado um desequilibrado. Era assim que se sentia. Culto, crítico, provocativo, destemido, mas com baixa capacidade de se relacionar consigo mesmo, Alan, quando desabou, o fez de forma dramática.

10
Uma escalada para o caos

Dr. Alan passou por vários psiquiatras, alguns muito competentes, mas continuou se debatendo, com dificuldade de se entregar a um tratamento. Antidepressivos, tranquilizantes e tratamentos psicoterapêuticos não foram suficientes para fazê-lo beber do cálice da tranquilidade e se nutrir do cardápio da segurança e da estabilidade emocional. Seu transtorno psíquico progrediu, os ataques de pânico se sucederam.

Como não operava mais, atendia aos pacientes em seu consultório e encaminhava-os para que outros colegas os operassem, inclusive o dr. Ronald, que, quando recebia um de seus pacientes, tinha reações ansiosas.

Entretanto, dr. Alan começou a ter ataques de pânico na frente dos pacientes.

– O que foi, doutor? – perguntou uma mulher, desesperada ao vê-lo ofegante, suando e angustiado.

Ele tentou se controlar, mas teve dificuldade.

– Mil desculpas. Não posso atendê-la agora.

Ela se foi, e ele ficou profundamente abatido. Sentia-se imprestável. Sabia que não estava enfartando, mas sentia como se estivesse morrendo. Sua razão gritava que tudo era mentira, porém sua emoção bradava que era uma verdade irrefutável. E o cérebro humano, esse órgão misterioso, sempre ouve mais a voz da emoção do que a da razão; dá maior relevância ao conteúdo das janelas killer do que ao das janelas light. Por isso, uma barata pode se converter num monstro, um elevador num espaço asfixiante, e um avião numa máquina perigosíssima, embora não o sejam. Por isso, também, os jornais de todo o mundo noticiam mais os fatos que assombram o cérebro.

– Não estou conseguindo nem sequer atender aos pacientes – ele admitiu a Claudia.

– Como não, querido? Você é um excelente clínico.

– Não consigo controlar as crises.

Claudia estava preocupadíssima. Alan não era o mesmo homem com quem havia se casado. De qualquer forma, tentou animá-lo:

– Siga seu ritmo, sem exigir demais de si. E veja o lado bom: agora você tem tempo para mim e para a Lucila. Aproveite!

Mas faltava motivação ao homem. Certo dia foi ao shopping com Lucila. Estava particularmente feliz. Era uma tarde de quinta-feira. Sair naquele horário, e ainda mais para ver lojas, era uma heresia para ele. Contudo, ao menos podia passar um tempo com sua filha.

– Papai, estou tão feliz que esteja comigo!

– Eu também, querida.

Logo que entrou numa loja encontrou um paciente, que, por coincidência, era o dono.

– Dr. Alan, o senhor por aqui e a esta hora?! Vai chover...

Alan ficou constrangido, mas tentou levar na brincadeira.

– Já tem chovido, e uma forte tempestade.

Cinco minutos depois, teve um novo ataque de pânico e não conseguiu administrá-lo. Teve de se apoiar nas paredes para não desmaiar. Lucila ficou assustada.

– Papai, você não está se sentindo bem?

Ele fez uma pausa e confessou:

– Sinceramente não, filha. Mas me deixe sentado num banco e vá passear.

– Não, papai. Sua saúde é mais importante. Eu vou levá-lo para casa.

Eventos como esse faziam que ele continuasse a retroalimentar suas crises. Chafurdava, remoía, pensava nelas dia e noite. Áreas nobres da "cidade da sua memória" foram pouco a pouco desertificando-se, transformando-se em plataformas traumáticas. E, desse modo, sua fobia começou a assumir outras roupagens: medo de ser um profissional inútil, da exclusão social e de não ter como sobreviver. E, porque resistia ao tratamento, começou a ter outra fobia como sequela: a fobia social, caracterizada pelo medo de estar e falar em ambientes sociais. Mas o que mais temia era ser rejeitado por Claudia e não ser admirado por Lucila.

Claudia percebeu que ele não conseguia evoluir nos tratamentos psiquiátrico e psicoterapêutico. Vendo-o desanimado, tentou novamente fazê-lo perceber que aquele período de sua vida tinha suas vantagens.

– Encare esse tempo como férias prolongadas. Podemos transformá-lo em um período excelente de nossa vida. Vamos sair, frequentar festas, jantares, bailes.

Alan parou, deu um sorriso irônico... e saiu de cena. Definitivamente, ela não entendia a dimensão dos monstros que o assombravam. A possibilidade de ter um ataque de pânico num ambiente social era pavorosa.

    Certa vez, esforçou-se muito e foi ao jantar de aniversário do dr. Paulo de Tarso, na casa deste. Fazia seis meses que não se viam. Embora o cardiologista o houvesse procurado algumas vezes, Alan, indisposto, não o recebera. Mas eram amigos, foi compelido a ir. Aquela também seria uma oportunidade de rever toda a família do dr. Paulo após o acidente. Ainda que estivesse afastado do hospital, Alan sabia que todos haviam superado aquele trauma sem sequelas – mesmo a menina, Ana Laura, que sofrera traumatismo craniano. Vários médicos estavam presentes na comemoração, inclusive dr. Ronald, o desafeto de Alan.

    Todos sorriam, conversavam e comiam animados.

    – Ei, Alan, você está ótimo! – disse o anfitrião.

    Todos concordaram. E, realmente, ele se sentia bem. Mas, passados quinze minutos, começou a perder a cor, a fala, a disposição. Falou baixo para a esposa:

    – Preciso ir embora.

    – Acalme-se, você está indo muito bem...

    – Eu darei um vexame aqui. Estou prestes a desmaiar...

    Sentia que tudo girava ao seu redor. Preocupada, a esposa o pegou pelo braço e o retirou do ambiente. Dr. Alan não conseguiu sequer se despedir de Paulo de Tarso e dos demais convivas, mas seu comportamento não passou despercebido. Todos ficaram atônitos. O cardiologista saiu às pressas e alcançou o casal.

    – Alan, meu amigo. Você ainda vai sair dessa.

    Ele concordou com um movimento de cabeça e disse em voz quase inaudível:

    – Desculpe-me. E parabéns. – E se foi.

Quando Paulo de Tarso retornou à sala, dr. Ronald, destituído de compaixão, comentou:

– Alan está enlouquecendo.

– Não. Ele tem um transtorno emocional. E um dia vai nos surpreender – rebateu Paulo de Tarso.

Ao chegar em casa, Alan olhou bem nos olhos da esposa e, às lágrimas, deu-lhe plena liberdade para romper a relação.

– Está vendo, Claudia? Conviver comigo é muito difícil. Eu te amo, mas, por favor, parta.

– Eu? Partir? – ela perguntou, com os olhos úmidos.

– Vou compreender. Você ainda é jovem, pode refazer sua vida – disse com as mãos no rosto, como se fosse o mais impotente dos homens.

– Assassine o amor que sinto por você, e eu partirei.

– Mas vale a pena seu sacrifício?

– Quando se ama não há sacrifício, só prazer em se doar.

O tempo passou, e Alan não se restabeleceu. Não aceitava mais convites para dar conferências. Aos poucos, todas as pessoas que o conheciam foram se distanciando. A única coisa que preservava eram as aulas que ministrava no último ano de medicina, raras ainda assim.

Certa vez, ensinava sobre anatomia cerebral, as principais artérias e veias e sobre as intervenções urgentes em aneurismas. De repente, interrompeu bruscamente a fala e sentou-se, emudecido e ofegante. Alguns estudantes, sem empatia, zombaram.

Um aluno teve de pegá-lo e conduzi-lo para fora da classe. Na saída, um residente que ele outrora havia criticado comentou em alto e bom som:

– Só tem uma especialidade da medicina que produz mais sequelas do que a cirurgia. – Dr. Alan se voltou para ele e o reconheceu. E o residente completou: – A psiquiatria! Procure bons psiquiatras, dr. Alan. Sua doença mental está progredindo.

O residente saiu com um sorriso sarcástico, embriagado pelo sentimento de vingança. Imaturo, desconhecia que a vida é cíclica e que, cedo ou tarde, poderia percorrer os vales sórdidos dos vexames.

Os momentos de maior alegria que dr. Alan ainda experimentava eram na presença de sua filha.

– Papai, agora você é só meu – expressava Lucila, feliz da vida, agora que seu pai tinha tempo para ela.

– Sou, filha, agora terei muito tempo para você. – E abriu os braços para ela.

Mas ela exigiu algo dele.

– Amanhã vai ter reunião de pais na escola. Vamos?

Dr. Alan balançou a cabeça em sinal afirmativo. Muitos pais terceirizam a educação essencial dos filhos para a escola. Menos de dez por cento frequentavam essas reuniões. E eram sempre os mesmos que apareciam. Mas agora havia um corpo estranho entre eles: dr. Alan. Evelin, mãe de Lucila, não os acompanhou, porém apreciou muito que ele estivesse desempenhando esse papel. A diretora fez uma breve exposição sobre os projetos pedagógicos da instituição e abriu espaço para quem quisesse emitir sua opinião para melhorar o desempenho da escola.

– A escola tem algumas rachaduras. Seria bom consertá-las para melhorar a sua imagem – comentou um pai.

– Penso que deveriam cuidar melhor do jardim da entrada – disse outro.

Lucila cutucava o pai para que ele marcasse presença, falasse alguma coisa. Por fim, ele levantou a mão.

– É importante cuidar do aspecto visual da escola, mas, desculpem-me, é fundamental cuidar da razão de ser de uma escola: a mente dos alunos. Os maiores inimigos estão dentro de nós; as maiores rachaduras e ervas daninhas estão em nossa emoção. Precisamos ter uma escola psicologicamente saudável, onde os alunos aprendam a lidar com seus medos, com a culpa, a autopunição, o *bullying*. Pequenos conflitos hoje podem se tornar grandes monstros amanhã.

Todos o aplaudiram. No entanto, essa emoção positiva deflagrou um novo ataque de pânico. Ele podia gerenciá-lo, mas seu Eu não havia aprendido a desafiar e proteger sua emoção. Como sempre fazia, interrompeu bruscamente sua fala. Lucila, excitadíssima com os aplausos que o pai recebera, não percebeu que ele estava perturbado.

– Você é demais, papai!

Ele sorriu brevemente e lhe pediu para irem embora.

– Mas, papai, vão falar das nossas notas. Estou indo muito bem.

– Eu sei que suas notas são maravilhosas.

Ela olhou para o pai e então percebeu que ele não estava se sentindo bem. Delicadamente deu-lhe a mão, e os dois saíram juntos da escola. Situações como essa passariam a ser comuns. Uma filha brilhante começaria a cuidar de seu pai culto e inteligente, mas que estava em processo de autodestruição. Na saída da escola, o motorista os aguardava. Lucila conduziu o pai ao banco da frente e, quando ia entrar no banco de trás, viu o menino que certa vez dissera que ela não tinha pai. Correu até ele e lhe disse:

– Está vendo? Eu tenho um pai!

– Dizem que ele é louco – rebateu sem dó.

— É mentira! Ele é muito inteligente! – retrucou a garota, querendo agredi-lo. Mas seu pai a chamou.

Chegando ao carro, ele perguntou:

— Filha, que reação foi essa? Por que queria bater naquele menino?

— Ele falou que você é... – Ela não conseguiu completar, mas Alan entendeu.

Ele reuniu forças, saiu do carro e foi até o garoto, que estava com o pai. Sem perder a calma, aproximou-se do menino e lhe disse:

— Se você quer ser um grande homem, não julgue uma pessoa pelo que dizem dela, mas por conhecê-la. É um prazer conhecê-lo, apesar de você ter ferido a minha filha.

Depois se voltou para Lucila e lhe deu uma lição inesquecível, uma vacina que passou a protegê-la contra os estímulos estressantes.

— Querida filha, não compre o que não lhe pertence.

Uma vacina encantadora, mas que não conseguia aplicar nele mesmo.

11

Uma prisão de portas abertas

Alan evitava frequentar lugares públicos com a filha, e não apenas pelo desconforto social que poderia dar ou pelo descalabro de que os outros vissem uma menina cuidando do pai, mas pelo medo de que Lucila incorporasse, na formação de sua personalidade, a mesma fragilidade que o controlava. Amava-a intensamente e não queria que ela fosse espectadora de uma peça de terror.

Lucila fazia inúmeras tentativas para o pai sair com ela.

– Papai, vamos tomar sorvete? – pedia, animada. Entretanto, raramente Alan aceitava o convite. Às vezes fazia um esforço, mas, quando atravessava a calçada, seu coração começava a vibrar. Parecia que iria explodir no peito. E, assim, recuava.

– Filha, me desculpe. Hoje, não. – Em seguida, ele ia chorar às escondidas.

– Papai, vamos comprar roupas para você? – suplicava a filha, porém ele refugava.

– Não preciso, querida.

Para quem está emocionalmente fragmentado, pensava ele, usar roupas de marca ou roupas rotas são a mesma coisa. Sua doença mal resolvida o levou a sair da órbita social e viver na órbita de seu pânico. Em alguns momentos esforçava-se para retornar, mas não conseguia romper sua inércia. Parecia atado a uma rocha. Os meses se passaram e se tornaram anos. A filha ainda insistia, mas estava perdendo o ânimo.

– Papai, por favor, vamos ao cinema. Eu quero vê-lo feliz! – insistia sua filha, querendo de todas as formas retirar o pai daquele calabouço.

– Filha, me perdoe, mas tenho medo de sair. Tenho medo de ter mais uma crise. Tenho receio de dar vexame. – E o homem que anos atrás parecia indomável agora era simplesmente um escravo no território da emoção.

Recusava ir ao cinema, mas sua vida era um filme, e o gênero não era comédia. Alan protagonizava um filme de terror. Em algumas oportunidades, pegava nas delicadas e pequenas mãos da filha e a surpreendia com um convite para sair. Parecia que, naqueles momentos, as tempestades recolhiam seus trovões. No entanto, quando pisava num shopping ou em uma sala de cinema, seu mundo escurecia. O medo de ter um ataque de pânico e desmaiar ou até morrer provocava um turbilhão em sua racionalidade. O circuito da sua memória se fechava, o médico saía de cena, e entrava um paciente fragmentado e frágil; saía o intelectual, e entrava o abalado menino diante do apagar das luzes. Todos os que o conheciam ficavam perplexos.

Os papéis se inverteram; a filha começou a proteger o pai. Lágrimas visíveis, choros silenciosos, indignações caladas atingiam pai e filha. Na pré-adolescência, Lucila começou a se privar da presença do pai. Para sobreviver, como mecanismo de defesa, decidiu continuar a sua história, e não viver a história de seu pai.

— Meu pai não me ama, mamãe... — disse, aos prantos, algumas vezes não mais a menina, mas a adolescente Lucila.

— Filha, só pode julgar alguém quem está na pele dele. É melhor compreender do que julgar. Se não for possível compreender, aceite e respeite suas limitações.

Evelin, ex-esposa de Alan, tentava estimulá-lo. Vê-lo se entregar não lhe doía apenas por Lucila, mas por ele. Nas raras vezes em que o encontrava, insistia:

— Alan, você precisa sair mais com sua filha.

— Eu não consigo! Não consigo!

— Alan, Lucila te espera! Saia desse casulo! — clamava também Claudia, sua esposa.

— Por favor, vivo numa prisão de portas abertas! — E ele lhe dava as costas.

Lucila, por fim, admitiu que seu pai era mentalmente doente, tinha limitações e parecia condenado ao isolamento social e à insignificância profissional, embora nunca tivesse aceitado isso. No colégio, alguns colegas debochavam sutilmente de seu pai. Por não serem empáticos, não se colocarem no lugar dos outros, os jovens podem ser cruéis. Um casal de namorados sempre fazia um gesto indicando que o pai dela era louco. Revoltada, Lucila enfrentou seus detratores mais de uma vez.

— Vocês não têm coração. Espero que nunca vivam nem dez por cento da dor que meu pai vive. Se soubessem quantas lágrimas eu chorei, seriam mais generosos. — E assim os calava.

Enquanto isso, o casamento de Alan passava por grandes turbulências. Claudia não entendia como um ser humano com um passado como o dele, que conversava com lógica e tinha grandes sacadas, se isolava do mundo.

– Alan, recebemos um convite do clube para a festa de final de ano.

– Não irei. Mas você pode ir, se quiser.

– Mas não estou viúva!

– Claudia! Estou socialmente morto...

– Não diga isso... não diga isso... – ela falou, chorando.

Ele embargou a voz diante da emoção da esposa.

– Você... você não imagina como sou grato a você. Você está sacrificando sua vida, sua juventude por mim. Parta, e eu a entenderei. Você é livre...

Uma pausa ocorreu na breve discussão. Depois, tomada por profunda comoção, Claudia afirmou:

– Eu já lhe disse. Não estou com você por compaixão...

– Ah, querida. Sinto... muito – ele completou, sensibilizado.

– É por amor...

– Mas alguém pode ser amado sem dar de retorno nem mesmo fagulhas de alegria? – indagou, contristado.

– Estar com você, poder tocá-lo, beijá-lo, dialogar é um presente.

Comovido, ele a abraçou afetuosamente. O personagem que a cativara havia deixado o palco e estava irreconhecível, mas ainda conservava traços da sua antiga personalidade. Agora os dois tinham tempo para conversar mais do que quando ele era uma máquina de trabalhar. Sua coragem se dissipara, sua alegria contraíra-se, sua imagem social derretera como gelo ao sol, porém, em outros aspectos, por mais paradoxal que fosse, houvera melhoras. Alan se tornou mais generoso, cordial e paciente com Claudia.

Pouco a pouco, ano após ano, os dois foram se psicoadaptando a um estilo de vida encarcerador. Como Alan dissera a Evelin, sua casa se tornara uma prisão de portas abertas. Como ele, milhares de pessoas, nas sociedades modernas, isolam-se em sua psique, não conseguem romper os grilhões que as aprisionam.

Certa vez, ele fez mais uma tentativa de se tratar. No meio da consulta com um notável psiquiatra, falou:

– Quando estou nos vales do medo, sinto-me uma criança desprotegida diante da finitude da vida...

– Mas a síndrome do pânico é definitivamente tratável!

– Nenhum dos tratamentos funcionou comigo até agora! – disse Alan, esbravejando e batendo na sua poltrona. – Não consigo me controlar... Não consigo!

– Como se sente?

– No fundo do poço. Triste, deprimido, combalido, atassalhado, fragmentado, alquebrado, vilipendiado...

– Como você se vê?

Ele respirou lenta e profundamente, como se quisesse definir o indefinível.

– Como uma escória social, objeto de vexame público... – disse, os lábios trêmulos.

– Você pensa em suicídio?

– Não! Tenho fome e sede de viver. Detesto a morte – respondeu rápida e contundentemente.

O psiquiatra ficou admirado.

– Explique melhor.

– Em toda a minha carreira, tratei e operei milhares de pacientes como um vendedor de tempo e de qualidade de vida. Fazia quase o impossível para prolongar em meses ou mesmo alguns dias a vida de cada paciente que estava nos últimos estágios de vida.

– Interessante. Você vivia o drama deles.

– É impossível não viver, mas eu mantinha um distanciamento que me protegia. Nunca pensei no fim da minha própria existência.

– Perturba-o ser um mortal?

– Você se perturba?

– Bem, eu...

– Todo cérebro é tranquilo quando se está distante da morte. Entretanto, quando se aproxima dela, bilhões de neurônios entram em estado de choque, clamam pela continuidade da existência através do aumento da frequência cardíaca. Não sou ingênuo, doutor. Mas muitos o são quando discorrem sobre a finitude da vida. Certa vez, Stephen Hawking foi ingênuo quando falou sobre a morte.

– O brilhante físico inglês?

– Exatamente. Ele disse que a vida após a morte é um conto de fadas para quem tem medo do escuro. Santa ingenuidade! Ele provavelmente nunca esteve perto do apagar das luzes, da solidão de um túmulo. Se todos os seres humanos estivessem às portas da morte, ainda que virtualmente, através de um ataque de pânico, não haveria guerras, corrupção, disputas irracionais. Extirparíamos nossas loucuras. Nós, seres humanos, vivemos como deuses, embora saibamos que somos mortais.

– Interessante. Você é religioso?

– A questão toda não é se Deus existe ou não, ser um materialista ou um espiritualista, ser um neurocientista, como eu fui, ou um leigo. A questão é que Deus tem de existir, senão a vida humana se tornaria uma ilusão. Você ama, mas nunca mais poderá tocar quem ama e conviver com eles. É possível aceitar esse fatalismo? Só se não se ama ou se não se tem consciência das sequelas irreparáveis do fim da existência. Já parou para pensar sobre o que ocorre na solidão de um túmulo?

– Sinceramente não, pelo menos não profundamente.

– Esfacela-se a memória, silencia-se a consciência, destrói-se a autonomia. Não sou religioso, mas, depois do meu acidente emocional, tenho a necessidade de crer em Deus. – Alan pensou em sua filha. Detestava a possibilidade de nunca mais vê-la.

O psiquiatra engoliu em seco. Nunca tinha pensado no fim da existência desse modo. Entendeu por que Alan era um paciente resistente, difícil de tratar, por que seu transtorno de pânico o tirara de circulação. Não era porque sua mente era apequenada, mas porque sua inteligência e sua história como médico eram fenomenais. Fora ajudado pelo paciente. Mas este, mais uma vez, desistiu do tratamento.

Seu isolamento se intensificou cada vez mais. Raramente o viam percorrendo as ruas, visitando parentes, frequentando clubes. Como a sociedade está despreparada para respeitar os diferentes, estes se tornam presas fáceis dos abutres sociais de plantão. Comentários maldosos chegavam-lhe aos ouvidos e o asfixiavam: "Ficou louco!", "Surtou!", "É um psicótico! Um doente mental, fuja dele!".

E o golpe fatal ocorreu quando foi a mais um psiquiatra, o qual lhe deu o diagnóstico que mais temia. Sem avaliar profundamente sua história, as bases do seu pensamento crítico e sua capacidade de organizar o raciocínio, o profissional lhe disse:

– O senhor é portador de uma psicose paranoica.

– Como assim?

– Sua mente está fragmentada.

– Mas eu raciocino com clareza. Como o senhor pode, numa única consulta, me dar uma sentença? – questionou com a voz trêmula.

— O senhor sente que o mundo conspira contra o senhor. Isso é paranoia.

— Mas é o medo de ter uma crise, de dar vexame, de dar trabalho para meus íntimos que me isola.

— Sim, mas seu isolamento social é um sintoma de uma psicose crônica. O senhor terá que conviver com sua doença mental para sempre.

Dr. Alan se levantou, irritadíssimo e inconformado.

— Há anos, eu disse para meus colegas que só há um médico que pode causar mais dano do que um cirurgião: um psiquiatra. O primeiro, quando é um mau profissional, destrói o corpo, mas o segundo destrói a mente. Não digo que o senhor é um mau psiquiatra, mas hoje o senhor matou minha esperança com seu diagnóstico.

O profissional, constrangido, rebateu-o:

— Não se pode fugir do diagnóstico.

— Eu também sou médico, doutor. Mas, para mim, o diagnóstico não serve para encarcerar os pacientes, e sim para orientar os médicos em sua conduta e irrigar com ânimo, ainda que diminuto, quem eles tratam.

— Não podemos fugir da verdade.

— O que é a verdade, doutor? Existe verdade absoluta na psiquiatria ou nas demais ciências? Olhe, o senhor talvez não saiba, mas tratei do câncer do seu pai, operei seu avô e evitei que um aneurisma estourasse em um de seus primos. Um médico é, no bom sentido do termo, um vendedor de tempo e de esperanças. Acho que o senhor não aprendeu isso na faculdade.

O psiquiatra ficou abalado.

— Espere um pouco. Por acaso você é o famoso doutor Alan?

– Fui... Hoje sou um homem desconstruído. – Ele se levantou e deu os primeiros passos para sair do consultório.
– Espere!
– Doutor, passe bem... Não se preocupe com este doente mental.

Alan ficou tão desmotivado e perturbado com a possibilidade de ter uma psicose que não se arriscou mais a procurar ajuda terapêutica. Deixou a barba crescer, parou de se importar com suas roupas, com sua aparência. Parecia um zumbi. Era difícil crer que um homem tão brilhante pudesse chegar a tal estágio de desconstrução.

12

Carrasco de si mesmo

Uma bela garota de vinte e dois anos passava rapidamente pelos corredores da universidade. Estava feliz da vida porque se formaria em psicologia. Morena, esbelta, um metro e setenta e quatro de altura, cabelos levemente cacheados, esperta, falante. Era Lucila. De repente ela encontrou algumas amigas de classe, todas eufóricas. Resolveram ir ao restaurante da universidade para relaxar, conversar sobre o mais emocionante dos tempos: o futuro. A conversa se prolongou, e o assunto voltou-se para o futuro imediato, a formatura, que ocorreria em sete meses.

– Quem vai dançar a valsa com você, Adriana? – perguntou Luciana.

– Meu pai, claro – disse em alto e bom som, indicando que admirava seu pai.

Subitamente, Adriana perguntou para Lucila:

– E seu pai? Vai dançar com você?

Elas nunca o tinham visto, e Lucila nunca falava sobre ele. Ela respirou profunda e pausadamente, relembrou o tempo em que o pai era um neurocirurgião superocupado e superadmirado. Uma década e meia havia se passado desde as primeiras crises do pai.

– Não – expressou com convicção e destituída de alegria.

– Por quê? Ele não é vivo?

Constrangida, ela respondeu:

– Infelizmente ele não poderá comparecer.

Curiosa e investigativa, Luciana indagou:

– O que ele faz de tão importante que não pode comparecer à sua formatura?

– É que... ele... ele é muito ocupado.

– Mas com o quê?

Os olhos de Lucila se encheram de lágrimas. Ela se levantou e saiu... Não havia explicações. Seu silêncio guardava muitos segredos, períodos prolongados de frustração. Quando questionada sobre o que seu pai fazia, embora o amasse, tinha vergonha de dizer que era médico, ou pelo menos que havia sido. Temia entrar em detalhes sobre sua especialidade, onde atuava, se tinha consultório particular. Ficava constrangida especialmente em ter de dizer que hoje ele era um paciente psiquiátrico. Ela sobrevivera ao caos do pai porque sempre teve uma mãe, avós e tios encantadores, que lhe deram suporte para formar uma personalidade saudável, ainda que trouxesse dentro de si imensas cicatrizes.

Com o agravamento da fobia social do notável ícone do colégio de cirurgiões, o mundo de Alan se apequenara. Depois de tantos anos de frustração como paciente, ele não confiava em nada nem ninguém: psiquiatras, psicólogos, parentes, amigos, ele mesmo. Uns vivem confinados por barras de ferro, outros em masmorras emocionais. Dr. Alan vivia na pior delas – acreditava estar destinado a viver encarcerado até que seus olhos se fechassem para a vida.

Certo dia, Paulo de Tarso, um dos raros amigos que ainda visitavam Alan, inconformado com sua solidão, pediu que ele fizesse mais uma tentativa de tratamento com um profissional que conhecera recentemente. Alan não aceitou. Paulo insistiu por mais um mês até que o amigo foi momentaneamente vencido e cedeu aos seus apelos.

A consulta foi marcada com o psiquiatra. Dr. Marco Polo tinha hábitos incomuns. Não pedia que a secretária introduzisse os pacientes em seu consultório, por exemplo; ele mesmo os recebia na sala de espera. Era crítico de formalidades e distanciamentos entre terapeuta e paciente.

– Obrigado por estar aqui e se dar uma chance de se tratar – disse dr. Marco Polo amigavelmente.

O neurocirurgião estranhou essa receptividade, pensou que o psiquiatra tivesse pouquíssimos pacientes para tratá-lo daquele modo. Preconceituoso, cogitou que ele queria desesperadamente cativar mais um cliente. Seu preconceito o levou a se fechar mais ainda. De fato, dr. Marco Polo queria cativá-lo, mas não porque sua agenda era vazia, e sim porque considerava cada paciente um ser humano único, que merecia toda a atenção do mundo, fosse ele um rei ou um súdito. Sua agenda estava saturada, só havia consultas para dali a seis meses, porém, a pedido de Paulo de Tarso, ele abrira uma exceção.

Dr. Alan não olhou no rosto do dr. Marco Polo. Mal conseguia conversar. Agitado, não gerenciava sua ansiedade. Encarava o profissional que o assistiria como se fosse um invasor de sua privacidade. Uma vez acomodado na poltrona, não teve disposição para responder às perguntas. Momentos depois, disparou sua artilharia.

– Mais um psiquiatra querendo remoer os porões da minha mente. E que, depois, vai me deixar à deriva com meus vampiros...

Dr. Marco Polo se surpreendeu positivamente com seu raciocínio, ainda que contivesse um componente agressivo. Elogiou-o:

– Parabéns pelo seu raciocínio, doutor Alan. Os vampiros da mente, como os da ficção, só nos assombram se permanecem no escuro. Sob a luz da razão, eles se dissipam.

Do outro lado, Alan admirou-se com o elogio e o fato de o psiquiatra tê-lo chamado de doutor. Esperava que ele o criticasse ou ficasse intimidado com sua rejeição. A conversa que se seguiu foi interessante, mas logo se mostrou improdutiva. O neurocirurgião, como sempre fazia nos últimos anos, considerando uma perda de tempo falar de seus conflitos, resolveu não colaborar.

– Se você está com sua racionalidade preservada e não quer se tratar, o problema é seu. Se o deseja, o problema é nosso. Nos dois casos, a escolha é sua – disse dr. Marco Polo, desafiando-o.

– Só me faltava essa, a escolha é minha... – Alan ironizou. – Eu escolhi ser um homem dilacerado? Eu escolhi ser objeto de vexame social? Eu escolhi me destruir?

– Não, você não fez essas escolhas em hipótese alguma. Mas, hoje, você está fazendo uma escolha de rejeitar se tratar. Hoje você vive uma tese insidiosa e devastadora da psicologia: se a sociedade o abandona, a solidão é suportável, mas, se você mesmo se abandona, ela é intratável.

Raramente uma única frase abalara tanto Alan. Ela entrou como um raio em seu psiquismo. No fim da consulta, como Alan estava insone, agitado e angustiado, o dr. Marco Polo ministrou-lhe medicamentos.

– Não tomarei o remédio. – Alan havia tomado tantos que não acreditava em mais nada.

Pegou a receita e saiu do consultório, mais uma vez sem olhar no rosto do dr. Marco Polo. Sentia-se irritado, mas havia sido provocado a refletir. Não deu garantias de que voltaria.

Em casa, sua atitude de ficar sequestrado dentro de si mesmo continuava. Não quis falar sobre a consulta com a esposa nem com a filha, que chegou pouco depois.

– E aí, papai, como foi?

Ele se aquietou, só meneou a cabeça em sinal de que estava mal e preferia não ser importunado. Paulo de Tarso, ao visitá-lo à noite, teve uma atitude ousada e nem sempre recomendável – mas, afinal, ele também era médico e muito responsável. Pediu café. Ele e Alan iriam tomá-lo juntos. O cardiologista, esperto, dissolveu a pílula para sono, recomendada pelo psiquiatra, no café de Alan, tomando cuidado para que este não percebesse. Entretanto Alan, mais esperto do que o amigo, trocou as xícaras. Paulo de Tarso dormiu por vinte e quatro horas seguidas.

A primeira consulta com dr. Marco Polo fora um início tímido, mas marcara o neurocirurgião. Um mês depois, após uma crise intensa ao sair até o portão de casa, Alan procurou novamente o psiquiatra. Continuava áspero e econômico nas palavras. Não tinha prazer em falar, principalmente de si mesmo. Na realidade, estava cansado de falar sempre a mesma coisa. Seus "inimigos" estavam em seu calabouço psíquico e lá deveriam permanecer, pensava.

Sentou-se na poltrona e ficou olhando para o alto, para o vazio, para o nada. Dr. Marco Polo considerava que promover as características saudáveis de seus pacientes era tão importante quanto tratar as características doentes. Pelo fato de o dr. Alan ser resistente, era fundamental conquistar primeiro a sua emoção. Logo no início da segunda sessão, não lhe pediu que falasse de suas crises e conflitos.

— Por favor, doutor Alan, fale-me de seus feitos, das suas glórias, das suas brilhantes cirurgias do passado.

Alan ficou impressionado com essa atitude.

— Eu sou um doente, eu sou um combalido. Que valor têm minhas vitórias? Que importância têm minhas glórias?

— Têm um valor fenomenal, até mesmo para seu tratamento.

Alan se abalou novamente. Havia minimizado todas as suas realizações depois que o terremoto do transtorno psíquico devastara sua personalidade. Titubeou para abrir o portfólio dos seus êxitos, mas todo ser humano tem fome e sede de autoestima e de reconhecimento social, inclusive os "doentes mentais". O neurocirurgião discorreu sobre suas glórias, como raramente havia feito nos últimos quinze anos, desde que seu transtorno se iniciara. Comentou sobre sua paixão por ajudar o ser humano:

— Fiz centenas de cirurgias complexas.

— É surpreendente essa revelação, doutor Alan.

— Essa mente abalada e essas mãos destreinadas já salvaram inúmeras pessoas.

— Eu acredito e fico feliz de agora poder contribuir com você. E tenho certeza de que esse ser humano e profissional útil, altruísta, solidário não está morto.

— Você se engana, doutor Marco Polo. Meu passado já morreu.

— É impossível que esteja morto. O edifício do presente se apoia nos alicerces do passado, seja ele glorioso ou desastroso. Se dele se lembra, ele está vivo, ainda que nos subterrâneos da sua história.

— Você diz isso para me animar. Não vai conseguir.

– Eu o respeito. Mas lhe peço que se julgue menos. Fale abertamente sobre seus sucessos sem esmagar seu valor. Não seja carrasco de si mesmo.

– Carrasco de mim mesmo? Como assim?

– Você se cobra demais? – o psiquiatra inquiriu.

– Muito. Todos os dias. Olho para meu passado exitoso e o comparo com o que me tornei. Isso faz brotar em mim um sentimento de vergonha e raiva.

– Na verdade, você provavelmente sempre se cobrou. E quem cobra demais de si mesmo sabota sua saúde emocional, aumenta os níveis de exigência para ser feliz – afirmou dr. Marco Polo.

Quando estava na ativa, dr. Alan se cobrava muitíssimo, o que o tornava emocionalmente insaciável e o fazia trabalhar cada vez mais.

– Tenho de admitir que sempre me cobrei muito. Mas nunca pensei que isso sabotava a minha qualidade de vida, que aumentava os níveis de exigência para me saciar. Provavelmente fui meu maior algoz e continuo sendo ainda hoje. Quanto mais me cobro, menos saio do lugar – falou dr. Alan.

Dr. Marco Polo ficou feliz com essa conclusão.

– Conte-me mais sobre as tensões e os riscos que você passava durante as cirurgias.

– Vida e morte estavam nas minhas mãos. Tinha de tomar decisões rápidas para salvar vidas. – Porém, em seguida, dr. Alan disse: – Mas agora sou um homem destruído.

– Está vendo? Você se viciou em se punir. Criticar excessivamente a si mesmo sabota a sua saúde emocional, pode viciar, fechar o circuito da memória. Você não consegue falar nada positivo de si mesmo sem que se sucedam palavras que o denunciam. Policie-se. Relate suas memoráveis e corajosas intervenções, doutor.

Foi então que Alan contou algumas delas. Contou inclusive a história do menino Lucas, de sete anos, felicíssimo, bem-humorado, perguntador, esperto, vivaz. Andava de bicicleta com seu pai, dr. Salomão, como se a vida não fosse sobressaltada por surpresas. Dr. Salomão, um culto, austero, pragmático e famoso advogado criminalista, pela primeira vez se sentira o maior criminoso do mundo por achar que havia patrocinado o acidente do filho.

– Ele teve paradas cardíacas. Pensei que perderia o garoto, mas felizmente consegui estancar a hemorragia. Mas isso já faz tanto tempo... – disse dr. Alan, que se tornara um especialista em se diminuir.

– Quanto? Um século? – brincou o psiquiatra.

– Cerca de quinze anos.

Novamente, dr. Marco Polo lhe disse:

– É uma honra poder contribuir com uma mente brilhante como a do senhor.

– Uma honra? Você está brincando?

– Nunca falei tão sério.

Todas as vezes em que exaltava os pontos nobres da personalidade dos seus pacientes, ainda que embrionários ou vivenciados no passado remoto, o psiquiatra provocava um fenômeno inconsciente, o registro automático da memória, conhecido pela sigla RAM, que retroalimenta essas características saudáveis. Seu objetivo era que os pacientes não se vissem como doentes mentais, impotentes, mas como seres humanos em construção, o que fazia grande diferença na evolução do psiquismo deles.

Foi uma boa consulta. Dr. Alan saiu do consultório com um leve sorriso. No entanto, para sua surpresa, dr. Marco Polo o advertiu logo antes de passar pela porta.

– Os monstros que hibernam em nossa psique podem despertar. Enfrente-os. A maturidade não está em ter um céu sem tempestades, mas em sobreviver a elas.

Dr. Alan achou aquilo estranho. Raramente se sentia tão bem após uma sessão de psicoterapia, contudo parecia que o psiquiatra não estava contente. Dr. Marco Polo tinha consciência de que pequenas aberturas poderiam preceder um grande isolamento. Sabia que os seres humanos constroem presídios de segurança máxima nas camadas mais profundas da sua mente e lá se instalam.

13

Os grandes homens também choram

Chegando em casa, Alan não fez cara de miserável nem reclamou da vida e do psiquiatra. Pegou uma pequena tesoura e foi podar algumas plantas no jardim. Claudia achou aquela atitude estranha. Alan sempre fora alienado das tarefas de casa. Observou-o atentamente. Ele aparou umas roseiras por dez minutos e se cansou. Quando entrou em casa, Claudia perguntou:

– O que deu em você, Alan?

– Por quê?

– Podando as roseiras?

– Por que não? As flores nascem mais vistosas depois dos cortes.

– Não estou falando das rosas, mas de você. Não me lembro de ver você cuidando do jardim.

– Eu também não estou falando só das flores, mas da alma. As podas da vida nos fazem florescer. Você deveria prestar mais atenção em mim. Afinal de contas, não tenho só defeitos – disse ele com leve toque de humor.

– Como foi a consulta?

– Nada de especial.
– Nada? É estranho, você raramente está bem-humorado.

O assunto logo acabou, e o dr. Alan se recolheu ao seu escritório. Embora estivesse longe dos centros cirúrgicos, para não se sentir completamente inútil e não "enlouquecer", lia frequentemente a literatura mundial de sua área, a neurociência. Arriscava-se em desvendar diariamente o mais complexo dos mundos: o cérebro. No fundo, queria entender o seu próprio.

Estudava anatomia, metabolismo intracelular e as sofisticadas conexões entre as células cerebrais, os neurônios. Estudava ainda os neurotransmissores, que são como carteiros que enviam mensagens de uma célula a outra, como a serotonina, a adrenalina, a noradrenalina. Desse modo o neurocirurgião, isolado da sociedade, na masmorra de sua casa, mergulhava na microbiologia e na bioquímica com o intuito de descobrir as causas da depressão, da doença de Alzheimer, do autismo e, em especial, da síndrome do pânico. Analisava o imageamento cerebral feito por aparelhos de ressonância magnética poderosos e penetrantes e que consumiam tanta energia quanto um submarino nuclear.

Apesar de o dr. Alan ser um gênio da biofísica cerebral, desconhecia os mistérios do funcionamento da mente e as emboscadas nela existentes, capazes de fazer um intelectual se tornar o mais frágil dos iletrados; um líder político, o mais diminuto dos eleitores; e uma pessoa invejada socialmente, o mais frágil dos anônimos.

Na semana seguinte, retornou para mais uma sessão com o dr. Marco Polo. Imerso em seu conflito, no entanto, sua disposição não era tão volumosa quanto no último encontro. Vendo a dificuldade de interagir do dr. Alan, dr. Marco Polo lhe perguntou:

– Como foram seus últimos dias?

– Nada para comentar, nem caos nem bonanças. – Dr. Alan meneou a cabeça, querendo cortar a conversa.

– Não está disposto a falar dos sucessos do doutor Alan?

– Não se iluda, doutor Marco Polo, e não me iluda.

– Acha que sou um vendedor de ilusões?

Dr. Alan levantou-se e falou sem titubear:

– Acho!

– Apresente seus argumentos – provocou-o o psiquiatra.

– É muito fácil sentar-se como um deus na sua poltrona, como um espectador da dor humana, sem nunca ter participado de um filme de terror.

Diante dessa acusação, e sabendo que estava prestes a perder o paciente, dr. Marco Polo o bombardeou com a arte da pergunta:

– Como você pode afirmar que nunca atravessei os vales escabrosos da dor? Você tem medo de perder Lucila, mas porventura sabe as pessoas caras que já perdi? Por acaso esquadrinhou as entranhas angustiantes da minha história e as ferramentas que utilizei para sobreviver? Como pode dizer que não conheci as mais dramáticas lágrimas, inclusive aquelas que nunca tiveram coragem de encenar no teatro do rosto?

O psiquiatra confrontara de maneira inteligente, firme mas generosa. Não se deixara dominar pelo neurocirurgião, que amava deixar em maus lençóis os profissionais que dele cuidavam, incluindo psicólogos. Alan sentou-se novamente na poltrona.

– Desculpe-me. De fato, não conheço a sua história.

– E você conhece a sua?

– Claro.

– Tem certeza de que a conhece?

– Vivo na pele um filme de terror! E esse filme denuncia todos os dias, em gênero e grau, que roubaram a minha felicidade.

– Quem a roubou? Até onde você foi descuidado com ela e permitiu que a roubassem? Que traumas e crises atravessou? E como os gerenciou? Enfim, quem lhe roubou sua felicidade, doutor Alan?

– Não culpo ninguém.

– Muitos amam culpar algo ou alguém.

– Meu cérebro é o culpado! – disse, colocando as mãos na cabeça como se estivesse tentando segurá-la. E explicou algo que surpreendeu dr. Marco Polo: – Extirpei tumores, estanquei hemorragias, operei aneurismas, eliminei focos epiléticos, enfim, entreguei minha vida para cuidar do cérebro dos outros. Agora, como presente da natureza por tudo o que fiz, meu cérebro me traiu. Triste ironia!

Dr. Marco Polo já havia atendido médicos, psicólogos, advogados, juízes, executivos, mas jamais vira alguém que não acusasse nada nem ninguém por suas mazelas, senão seu próprio cérebro. Por detrás dessa acusação, dr. Alan parecia gritar que acreditava numa tese que, por mais inteligente que fosse, seu cérebro o impedia de progredir no tratamento psicoterapêutico. Uma tese que se tornara uma masmorra invisível. E que ele nunca tivera coragem de expressar.

– Explique melhor por que o seu cérebro é seu vilão.

– Vocês, psiquiatras, bem como os psicólogos clínicos, são muito românticos, divagadores, sonhadores. Não percebem que precisam de um choque de lógica, de neurociência.

Dr. Marco Polo, em vez de ficar chateado como ficariam muitos de seus colegas com a crítica do dr. Alan, protegeu sua emoção e, ao contrário, ficou animadíssimo com a possibilidade de saber o que esse brilhante neurocirurgião pensava sobre os transtornos mentais. Talvez aí estivessem as maiores resistências ao tratamento. Mas, como queria respostas mais profundas, provocou-o:

– Como ousa me confrontar?

Alan, quando acuado, fosse pelos ataques de pânico, fosse por críticas, calava-se. Não sabia que dr. Marco Polo o estava instigando. Vendo seu recuo, o psiquiatra o animou:

– Você não consegue mais ler as expressões faciais dos outros? Não entende, doutor Alan, que me alegro que pense diferente de mim?

– Alegra-se? Sempre fui censurado por outros profissionais pela minha petulância.

– Pois alegro-me que esteja pensando. E, melhor ainda, pensando criticamente.

O neurocirurgião ficou atônito com a atitude do psiquiatra.

– Você é um especialista em câncer cerebral e outros transtornos do cérebro. Mas deve saber que, para superar os transtornos psíquicos, para o sucesso de seu tratamento, a passividade é um câncer intelectual. Você apontou que seu cérebro traiu sua saúde psíquica. Vá fundo, não se intimide, fale sobre o que pensa de sua doença, de suas origens e de seu tratamento.

Animado, o combalido mas estudioso médico colocou suas fascinantes ideias sobre a mesa.

– Estudos atuais indicam que temos mais de cento e sessenta mil quilômetros de fibras no cérebro, o suficiente para dar quatro voltas em torno da Terra.

– Um dado interessante – expressou dr. Marco Polo.

– Estamos compreendendo cada vez mais os caminhos do raciocínio, da percepção, da memória, enfim, das funções cognitivas. Tenho estudado sistematicamente os avanços das imagens cerebrais. Mas estamos num impasse. Acreditávamos que, com a evolução tecnológica, distinguiríamos o cérebro de um esquizofrênico, o de um depressivo, o de um autista ou o de um portador de síndrome do pânico. No entanto, temos falhado. Os cérebros desses pacientes parecem tão iguais. Particularmente, creio que há diferenças indetectáveis que estão na intimidade do metabolismo cerebral.

– Em alguns casos, as diferenças podem estar nos espaços entre os neurônios ou sinapses nervosas – disse dr. Marco Polo.

– Correto – confirmou dr. Alan, e acrescentou: – Por isso o déficit de serotonina, noradrenalina e de outras substâncias desencadeia os transtornos mentais.

Dr. Alan pensava convictamente que alterações nos níveis dessas substâncias eram responsáveis por desencadear transtornos obsessivos, psicoses, ansiedade. Dr. Marco Polo também era um estudioso da área e, apesar de valorizar a neurociência, questionou o paciente. E o embate entre as duas mentes pensantes foi estimulante.

– Os déficits dos transmissores cerebrais que deflagram as doenças psíquicas são uma hipótese ou uma verdade científica, doutor Alan? O que pensa?

– Bem... isso é verdade científica.

– Desculpe, doutor Alan. Não é uma verdade científica, e sim uma hipótese, pelo menos em muitos casos. Mas, antes de entrar nesse detalhe, o que é a mente para você?

– Os fenômenos mentais são puramente químicos.

– Se os fenômenos mentais são puramente químicos, como devem ser corrigidos os transtornos psíquicos? – indagou o psiquiatra, que sabia a seriíssima resposta que seu paciente iria dar.

– Se o cérebro é um computador químico, os transtornos psíquicos são erros metabólicos e, portanto, devem ser corrigidos quimicamente, com medicamentos – afirmou o neurocirurgião.

– Com isso você quer dizer que é uma perda de tempo estar aqui, fazer o tratamento psicoterapêutico?

Dr. Alan respirou profunda e lentamente e confessou:

– Exato.

Era sua convicção científica. Por isso vivia o efeito sanfona, melhorava e piorava. Quando se abria e confiava no terapeuta, tinha lampejos de melhora e, depois, se fechava em seu casulo. Não acreditava que o diálogo psicoterapêutico funcionasse. Doenças psíquicas, pensava ele, eram erros químicos e, desse modo, deveriam ser corrigidas apenas quimicamente. Uma tese da qual o dr. Marco Polo discordava com veemência.

14

Abrindo os olhos do intelecto

Logo depois que dr. Alan comentou, de maneira radical, que a mente era um fenômeno químico e que só com medicamentos seria possível resolver seus transtornos, dr. Marco Polo indagou-lhe:

– E por que não encontrou medicamentos que resolvessem plenamente seu transtorno?

– Tomei quase todos os tipos de antidepressivos e tranquilizantes, mas talvez não tenham descoberto o medicamento correto para corrigir o meu transtorno. Cada cérebro é um mundo.

– Por favor, não tenha medo de se expressar. Explique melhor por que considera que fazer psicoterapia é ineficiente – dr. Marco Polo instigou mais uma vez; queria conhecer profundamente seu paciente.

– As teorias psiquiátricas e psicológicas que não se alicerçam profundamente na neurociência estão mais próximas de crenças religiosas do que de uma ciência aceitável e verificável. E as crenças e a loucura estão muito próximas – dr. Alan afirmou contundentemente.

Finalmente, o psiquiatra entendeu as bases da resistência do neurocirurgião. Não eram apenas a sua personalidade rígida, a sua infância ou os seus conflitos, mas as suas convicções científicas. Para ele o diálogo terapêutico, independentemente da técnica usada, era ineficiente. Era um paciente incomum. Para ficar claro, dr. Marco Polo lhe disse:

— Então deixe-me entender. Você crê que os psicanalistas, os psicoterapeutas analíticos, os logoterapeutas, os cognitivistas, os comportamentalistas, os existencialistas, os positivistas, bem como profissionais como eu, os psicoterapeutas multifocais, que enfatizam que o Eu deve ser gestor de nossa mente e autor de nossa história, somos todos enganadores?

— Não... quero dizer... Para ser sincero, vocês cobram por um serviço que não tem eficiência!

Dr. Marco Polo respirou lenta e pausadamente para digerir a acusação e mais uma vez se proteger.

— Bem, ninguém pode dizer, doutor Alan, que você não é um sujeito honesto. Acha que está perdendo seu tempo aqui?

— Penso que sim.

Dr. Alan havia perdido o trono, mas não a postura de rei. Em alguns momentos, parecia uma fera que queria pular na jugular de quem pensava diferente dele.

— E quer ir embora?

O neurocirurgião fez uma pausa e ficou em dúvida.

— Quero e não quero. Algo me segura aqui.

— Você se sente bem quando eu o valorizo como médico?

— Sim.

— E quando o instigo a expor sem freios suas ideias e teses?

— Sim. Se não tivesse essa liberdade, eu já teria desistido, como fiz tantas vezes.

De fato, sempre que se sentia ameaçado em seus direitos ou invadido em sua privacidade, o neurocirurgião cortava a relação com o terapeuta.

– Mas me responda: toda vez que eu o valorizo e o instigo a falar, estou usando uma droga química ou o diálogo terapêutico?

Dr. Alan se calou por alguns momentos. Foi pego em sua própria armadilha.

– O diálogo terapêutico...

– Então esse diálogo funciona.

– Bem... em determinadas situações, sim – afirmou o neurocirurgião.

– Ponto para o diálogo terapêutico. – E o dr. Marco Polo, mais uma vez, o colocou contra a parede. Era um especialista em usar a arte da pergunta para desarmar as algemas da mente humana. – Doutor Alan, como neurocientista, me diga quanto tempo leva, em média, para se lançar um novo medicamento antidepressivo ou qualquer outra droga para o cérebro?

– Muitos anos; às vezes dez anos ou até mais de pesquisas.

– E por que se fazem estudos duplos-cegos antes de lançá-los? Você sabe, a pesquisa em que se dão dois tipos de substâncias para dois grupos de pacientes com a mesma doença. Um grupo recebe a droga que se está testando, e o outro recebe um placebo, uma "mentira" química. O grupo que recebe o placebo pensa que está recebendo a droga real.

– Fazem-se estudos duplos-cegos para medir a eficácia do medicamento. A droga que se está testando tem de ser significativamente mais eficaz do que o placebo.

– Muito bem. Você já viu resultados desse tipo de estudo?

– Claro, tenho estudado muito sobre isso. Estou à procura, dia e noite, de solucionar meu problema.

– Ótimo! Então, se você se lembra, me conte uma das pesquisas que analisou.

– Lembro-me de um novo antidepressivo avaliado positivamente em sessenta e dois por cento dos pacientes.

– E o placebo? – dr. Marco Polo indagou.

– Em trinta e oito por cento.

– Esse resultado indica o quê?

– Que o antidepressivo funcionou.

– Não apenas isso. Pense comigo. Se trinta e oito por cento dos pacientes depressivos que tomaram o placebo tiveram melhora dos seus sintomas, isso indica que a sua tese de que todo transtorno psíquico deve ser corrigido apenas quimicamente não se sustenta; está errada.

Dr. Alan quase caiu da poltrona. Não tinha como contestar dr. Marco Polo. E este o instigou mais ainda:

– E por que trinta e oito por cento dos pacientes melhoraram?

– Bem... porque não são apenas as drogas que interferem no complexo mundo da mente humana; há outros fatores.

– Quais? – perguntou rapidamente o psiquiatra.

– Talvez sentir-se assistido, acolhido, acreditar na eficácia do medicamento.

Como o neurocirurgião era um homem honesto consigo mesmo, o seu céu intelectual se abriu naquele momento. Diante disso, dr. Marco Polo comentou:

– Se sentir-se assistido e crer no poder do medicamento são coisas penetrantes, imagine o poder que pode ter o diálogo terapêutico. Pensar na mente humana apenas como fruto de reações bioquímicas, achar que a consciência existencial é uma mera ilusão dessas reações é reduzir a complexidade dela. Se estudarmos detalhadamente o processo de construção dos pensamentos, ficaremos perplexos. As leis têm uma linearidade lógica e previsível, por isso são leis. O processo de construção de pensamentos rompe com as leis da física e da química.

– Explique melhor – dr. Alan solicitou, atônito.

– Veja o ato de amar. Amar é necessitar, trocar, entregar-se, procurar, esperar. É um fenômeno lógico?

– Não. Amamos até quem não nos dá retorno – afirmou o neurocirurgião.

– Exato. Do mesmo modo, odiar, ter compaixão, abraçar, rejeitar, compreender, excluir, punir, dar uma nova chance são fruto da plasticidade construtiva e da liberdade criativa do ato de pensar. São fenômenos que rompem o cárcere das leis da teoria da relatividade e da física quântica.

– Queria discordar de você, mas não tenho argumento. Uma filha que espera que o pai mude, mesmo quando ele a decepciona mil vezes, não está agindo de maneira lógica, segundo uma lei rígida – expressou dr. Alan ao fazer uma varredura em sua longa e triste história com Lucila.

– Uma dívida de amor não é uma dívida numérica.

– Criar monstros e nos perturbar com eles, ainda que só existam em nossa cabeça, também são atos ilógicos – comentou o neurocirurgião.

Depois desse admirável diálogo, o psiquiatra afirmou:

– Você, definitivamente, nunca teve uma psicose. Sua construção de pensamentos transita dentro dos parâmetros da normalidade, ainda que crie fantasmas. Mas lhe afirmo com todas as letras que mesmo os surtos psicóticos não apequenam um ser humano; ao contrário, revelam sua sofisticadíssima construção de pensamentos, ainda que desprovida de conexão com o mundo concreto.

Nesse momento, dr. Alan recordou-se dos mais diversos deboches que sofrera, direta ou subliminarmente. Era um homem com muitas cicatrizes em sua memória.

– Nada machuca tanto um ser humano quanto se sentir um doente mental. Nada esfacela tanto a autoestima quanto se sentir deprimido, fóbico, obsessivo, psicótico. Fico feliz com sua abordagem de que um transtorno psíquico não revela a pequenez de um ser humano, mas sua complexidade.

– Na realidade, ninguém é normal. Só pensa que é normal aquele que nunca teve coragem de mapear sua mente. Só pensa que é normal quem esconde seus conflitos debaixo do tapete do *status*, da crítica, do orgulho – afirmou dr. Marco Polo.

– Confesso que já fui um desses "normais-anormais". Critiquei o que não conhecia – admitiu o estudioso do cérebro. E, depois de uma pausa para repensar, ele acrescentou com entusiasmo: – Se o processo de construção de pensamentos desobedece a algumas das leis físico-químicas, então podemos inferir a psique é muito mais do que um computador cerebral superpoderoso e organizado. Nesse caso, a morte pode não ser o ponto final da história humana, mas uma vírgula.

Dr. Marco Polo abriu um largo sorriso. A mente do neurocirurgião era espertíssima.

– Essa é a esperança das mais diversas religiões e, consequentemente, de grande parte da humanidade. Mas sou um profissional da ciência; só lido com fenômenos naturais que ocorrem antes do átimo final, antes do último suspiro existencial. Hoje, quando a fé entra, a ciência se cala, e vice-versa. Mas prefiro não entrar nessa seara aqui – comentou dr. Marco Polo.

– Mas, se me permite, gostaria de falar sobre isso. Será que não chegará o dia em que os ateus guardarão suas armas e avaliarão sem preconceitos a complexidade do psiquismo humano? Será que não chegará o dia em que os religiosos perderão o medo da ciência e utilizarão também sem preconceitos os avanços da neurociência? Será que as descobertas da ciência confirmarão cada vez mais quão complexa é a vida e todas as leis do universo? Culminará a ciência apontando para o Autor da vida? – dr. Alan indagou. Mais do que como um neurocirurgião, ele falava como um estudioso neurocientista.

– É provável que chegue o tempo em que ambos conversarão como atores maduros sobre o infinito mundo que se esconde dentro da finita cabeça humana. Toda pessoa radical, seja um cientista, seja um religioso, desconhece que a verdade é um fim inatingível, não sabe que o pensamento consciente é virtual.

– Fui um homem radical. Supervalorizei as leis da bioquímica, as drogas medicamentosas e as intervenções cirúrgicas, desprezei o movimento das emoções e das palavras. Para mim, o diálogo servia para construir relações sociais, mas não para reconstruir um ser humano. Estou surpreso e um tanto confuso...

– O diálogo terapêutico pode ser tão ou mais poderoso do que uma substância química. Um abraço, um beijo, um ombro em que se apoiar ou, por outro lado, uma falsa crença, uma rejeição social, uma perda podem ser mais penetrantes na mente humana do que um projétil – declarou dr. Marco Polo.

O neurocirurgião fez mais uma pausa para refletir. E, depois de um silêncio cálido, concluiu:

– Se as palavras fossem balas, todos seríamos assassinos.

Vendo que seu cliente tinha finalmente entendido que o tratamento terapêutico poderia, se realizado adequadamente, ter grande impacto no psiquismo, comentou:

– Doutor Alan, você, assim como eu, é um amante da neurociência, mas nós a vemos de perspectivas diferentes.

Os medicamentos psiquiátricos são muito importantes em alguns casos, mas a atuação do Eu como gerente da mente humana é imprescindível. Educar o Eu é fundamental. O Eu é a consciência crítica, a capacidade de mudança. Li em artigos recentes que há indícios de que os neurônios podem ser estimulados em suas conexões, melhorando a percepção cognitiva. E, para isso, a educação mundial tem de se reciclar.

– Desculpe-me, não entendi o que quer dizer.

– A educação mundial deve passar da era da informação para a era do Eu como gestor da mente humana.

– Ainda continuo sem entender – disse o neurocirurgião, curioso.

– A era da informação produz a tecnologia que hoje nos deslumbra, porém não é capaz de produzir mentes livres, maduras, cujo Eu, que representa a capacidade de escolha, saiba gerenciar pensamentos, proteger a emoção e construir relações saudáveis.

– Tenho a impressão de que o mundo moderno se converteu em um grande manicômio.

– De fato. Você nunca ficou intrigado com o fato de estarmos no apogeu da psiquiatria e da psicologia e nunca termos visto tantos transtornos psíquicos? De estarmos no apogeu da indústria do lazer, mas nunca termos sido tão tristes? De estarmos no ápice do acesso à informação, sem nunca termos produzido tantos repetidores de dados em vez de pensadores? Reitero: precisamos de uma nova era na educação mundial. A era do Eu como gestor da sua própria história.

– Isso parece tão lógico, mas, ao mesmo tempo, tão distante de mim. Aprendi a avaliar pacientes, ler mapeamentos, manejar bisturis, dirigir carros e até dirigir um hospital, mas nunca fui treinado a dirigir minha mente.

Os dois médicos passearam pelas searas da mente humana. Fizeram longas viagens. Dr. Alan saiu efetivamente impressionado das últimas sessões em que trataram desse assunto. Foi a primeira vez que o gigante da ciência reconheceu seus equívocos. Seu transtorno psíquico o arruinara, o distanciara do mundo social, nocauteara sua profissão, atirara na sarjeta suas habilidades. Agora ele precisava se reinventar, mas para isso tinha de conhecer e equipar seu Eu. E, acima de tudo, entender que não há caminhos sem acidentes. Os maiores desafios estariam por vir. Dr. Alan descobriu, abismado, que sua mente era como uma grande empresa sem diretor e à beira da falência.

15

O problema não é a doença, mas o doente!

As pessoas mais próximas de Alan se surpreenderam com seu comportamento. Parecia, pelo menos em alguns momentos, que estava mais leve e animado. A empregada, o motorista, sua filha, sua esposa, mesmo o amigo Paulo de Tarso, percebiam que seu isolamento, seu pessimismo e seu espírito crítico haviam se abrandado. Só não entendiam o que estava ocorrendo. Eufórica, Claudia ligou para Lucila:

– Olá, Lucila. Seu pai está tão diferente! Tenho até medo de perguntar o que aconteceu.

– Eu percebi, Claudia. Ontem, quando o visitei, ele estava mais livre. Esboçou alguns sorrisos e até perguntou sobre minha formatura, no final do mês.

– Não espere muito, Lucila. Seu pai já me surpreendeu negativamente. Um céu aberto hoje pode prenunciar uma tempestade amanhã.

– Você tem razão. Nunca lhe contei, mas já chorei muitas vezes desejando que ele ressurgisse desse labirinto em que se perdeu.

* * *

Nas sessões posteriores, dr. Alan estava mais desarmado. Suas verdades eram muralhas, mas algumas desmoronavam. Perturbado por não conseguir mais se apoiar em suas rígidas crenças, começou a percorrer o mais incrível de todos os mundos: a sua própria mente. Teria que encontrar o indivíduo que ele mesmo abandonara por quinze longos anos, uma eternidade perante a brevíssima existência humana. A história do dr. Alan é um retrato de que os seres humanas podem gastar muitíssimo mal não apenas seus bens materiais, mas também aquilo que não tem preço: seu tempo.

Dias depois, em mais uma sessão de psicoterapia, dr. Alan disse:

— Tenho breves momentos de melhora, mas são como brisa num deserto. Logo me vejo num ambiente inóspito e intransponível. Sinto-me completamente impotente para retomar minha vida.

Dr. Marco Polo, depois de ouvir sua lamúria, teceu uma tese que abalaria seus alicerces:

— O problema não é a doença, mas o doente. Não é seu pânico, mas seu Eu.

O neurocirurgião ficou intrigado.

— Sinceramente, não entendi.

O psiquiatra, que havia mais de duas décadas era também pesquisador e pensador teórico da psicologia, começou então a discorrer sobre a teoria do Eu como gestor psíquico e sobre a teoria das janelas da memória. Disse que o Eu representava sua consciência crítica, sua autodeterminação e sua identidade.

— Os alunos aprendem milhões de dados sobre o mundo de fora, mas não aprendem nada sobre as funções vitais do

Eu. Tornam-se crianças com diplomas nas mãos, inclusive de pós-graduação.

– Que funções são essas? – o neurocirurgião indagou.

Em vez de lhe responder, dr. Marco Polo fez uma pergunta para que o próprio dr. Alan elaborasse seu raciocínio:

– Você protege sua emoção?

– Não.

– Proteger a emoção é uma delas. Sem protegê-la, não há como prevenir transtornos psíquicos. Você gerencia pensamentos?

– Não.

– Se você não gerenciá-los, sua mente será terra de ninguém. Seu pensamento poderá acelerar a tal ponto que passará a produzir uma série de pensamentos psicossomáticos, como ansiedade, fadiga excessiva, dor de cabeça, dores musculares, transtorno do sono, sofrimento por antecipação, déficit de memória.

– Tenho tudo isso!

– Deixar os pensamentos sem o mínimo controle é um crime contra a qualidade de vida. Você filtra estímulos estressantes? Faz a mesa-redonda do Eu com seus vampiros emocionais que sugam sua tranquilidade e seu encanto pela vida? Sabe reeditar seus traumas? Sabe trabalhar perdas e frustrações?

– Não, não, infelizmente não – disse dr. Alan, perplexo.

– Por isso reafirmo que o problema não é a dimensão de seu conflito, doutor Alan, não é a dimensão da sua miserabilidade emocional, mas a postura frágil do seu Eu como protagonista da sua história. Muitos culpam perdas, traições, infortúnios sociais, os pais; você culpou seu cérebro, mas não a postura do seu Eu como gestor psíquico.

O neurocirurgião ficou atônito com esse conceito. Além de colocar seu cérebro no banco dos réus, culpava a rasteira do seu discípulo e o ambiente social exclusivista, porém nunca dirigira a artilharia para seu Eu.

— Explique melhor — solicitou ele, desta vez de maneira gentil e curiosa.

— Para explicar esse fenômeno, preciso lhe falar sobre uma das mais graves e incapacitantes síndromes psíquicas: a Síndrome do Circuito Fechado da Memória, ou CIFE.

— Nunca ouvi falar nessa síndrome.

— Há dois tipos de CIFE, a CIFE-P e a CIFE-T. A CIFE-P é a Síndrome do Circuito Fechado Psicoadaptativa, e a CIFE-T, a Síndrome do Circuito Fechado Tensional. Essas duas síndromes são responsáveis por provocar quase todos os transtornos psíquicos e suas consequências, inclusive as guerras, os suicídios, os homicídios, o esfacelamento dos romances, a destruição da relação entre pais e filhos e entre professores e alunos. Elas também são responsáveis pelo engessamento das habilidades intelectuais e emocionais de um ser humano.

— Então são responsáveis por todas as desgraças humanas?

— Quase todas. A CIFE-T é acionada quando se entra numa janela killer, no córtex cerebral. Janela killer é um trauma que contém grande carga tensional.

— "Killer" quer dizer assassino em inglês.

— Sim. Mas não se trata de uma janela que assassina o corpo. É o seu volume de tensão que assassina o acesso a milhares de outras janelas que contêm milhões de informações. Nesse momento, por instinto, o *Homo sapiens* age como *Homo bios*: reage sem pensar, às vezes agressiva ou autopunitivamente.

— Espere um pouco. Quando entro numa área que contém o medo súbito de morrer ou de desmaiar estou, na realidade, entrando numa janela killer? E essa janela fecha o circuito da minha memória, por isso reajo como se fosse morrer de verdade, mesmo estando ótimo de saúde? – perguntou dr. Alan, iluminado.

– Exatamente. Você começou a entender a síndrome CIFE-T.

– O pavor de barata que certas pessoas têm?

– É um exemplo da Síndrome do Circuito Fechado Tensional.

– E quem tem claustrofobia? Também deve ser um exemplo do fechamento do circuito da memória. Sente-se asfixiado – concluiu o neurocirurgião, como se estivesse tendo inúmeros *insights*.

– Sim, é outro exemplo da CIFE-T. Todos os medos ou fobias são exemplos do aprisionamento do Eu por uma janela traumática.

– E a timidez? A raiva? O ódio?

– Todas as experiências com alto volume emocional podem levar ao fechamento do circuito da memória. Até mesmo a paixão. É por isso que ela cega, gera ciúme e o desejo neurótico de controlar o outro.

– Incrível! Quer dizer então que mesmo as pessoas que tentam o suicídio o fazem porque são vítimas dessa síndrome?

– A grande maioria. A cada quatro segundos uma pessoa atenta contra a própria vida na Terra, e, a cada quarenta segundos, alguém, infelizmente, a tira de fato. Mas será que elas querem morrer? Definitivamente, não. Todas elas têm fome de viver. No entanto, quando fecham o circuito da memória, não raciocinam, atentam contra si mesmas. Porém, na realidade, querem matar seu sofrimento, seu humor depressivo.

– Estou perplexo. Sempre pensei que o *Homo sapiens* fosse como um deus em sua memória e pudesse entrar nos arquivos ao seu bel-prazer.

– Nunca fomos deuses em nossa memória.

– Eu operei milhares de cérebros, mas desconhecia esses segredos invisíveis. Jamais imaginei que podíamos fechar o circuito da memória e agir como animais irracionais, nos punir e punir aos outros – reconheceu o neurocirurgião.

– Temos mais armadilhas mentais do que imagina a psicologia.

– Sempre fui impulsivo e intolerante diante de contrariedades. Como muitos, pensava que era verdadeiro, honesto comigo mesmo, por isso não me calava. No fundo, era uma vítima da síndrome CIFE-T.

– Correto. Muitos falam de resiliência, mas não têm a mínima capacidade de suportar pequenos estresses, rejeições, críticas. O Eu dessas pessoas vende sua tranquilidade por um preço estúpido. Elas agem de acordo com o fenômeno bateu-levou. Agridem quem as frustra. São promotoras da infelicidade alheia. Não sabem que a maior vingança contra um inimigo é abrir as janelas da memória e perdoá-lo. Se assim fizerem, seus desafetos morrerão dentro delas. O ódio é desinteligente, mata primeiramente o hospedeiro, pois registra o inimigo como janela killer – afirmou dr. Marco Polo.

Nesse momento, dr. Alan deu uma risada que nunca havia manifestado na sala de um profissional de saúde mental. O psiquiatra não entendeu.

– Por que está rindo?

Relaxado, o neurocirurgião falou:

– Sempre pensei que a psicoterapia se dava entre uma pessoa saudável e um pobre doente, como eu. Sim, tratamos do meu transtorno aqui, mas jamais enxerguei isso como um debate de ideias, como uma homenagem à inteligência.

– Não há ninguém plenamente saudável, nem o melhor psiquiatra ou psicólogo. O paciente tem, em algumas áreas, mais experiência do que o terapeuta. E o terapeuta tem de reconhecer isso e aplaudi-lo, como fiz com você. Tem de enaltecer as características nobres do paciente e levá-lo a reciclar suas características doentes. A minha maior tarefa como psicoterapeuta é levá-lo a aprender a aprender, a aprender a se reinventar, a aprender a superar suas CIFEs, a reeditar suas janelas killer, enfim, a aprender a gerir sua mente. Definitivamente, não trato de doentes – afirmou dr. Marco Polo.

– Como assim? – questionou dr. Alan.

– Trato de seres humanos em construção!

Dr. Alan esboçou um sorriso de satisfação.

– Surpreendente. São muitos fenômenos novos. Não consigo assimilá-los todos.

– Tenha paciência, você conseguirá.

– Como posso abrir o circuito da memória? – indagou dr. Alan, ansioso. Sua vontade de aprender sobre si mesmo felizmente ganhara musculatura.

– Mais uma vez, peço-lhe paciência. Seguiremos passo a passo. Hoje, ainda precisamos discutir a outra Síndrome do Circuito Fechado da Memória, a CIFE-Psicoadaptativa.

– Por quê?

– Porque é ela que fundamenta a tese de que o problema não é a doença, mas o doente.

O psiquiatra comentou que a síndrome CIFE-P ocorre quando entramos num grupo de janelas de menor intensidade tensional, que porém controla nossa capacidade de pensar. Comentou que o Eu prejudica sua leitura em determinadas áreas da memória. Assim, psicoadapta-se a determinado assunto e não se pensa em outras possibilidades. E comparou a memória a uma grande cidade. A CIFE-P faz um ser humano frequentar um pequeníssimo "bairro" da memória e construir um mundo diminuto, o que reduz muitíssimo seu potencial intelectual.

Dr. Alan, olhando para sua própria história, para sua capacidade incrível de se diminuir, começou a entender a gravidade da CIFE-P. Começou a enxergar por que se tornara um escravo numa sociedade livre. Quando estava na ativa, era uma pessoa superconfiante; depois do agravamento do seu transtorno, tornara-se superinseguro.

– Sabe aquelas pessoas que falam excessivamente de futebol ou outro esporte?

– Sim?

– São vítimas da síndrome CIFE-P. São viciadas em falar do seu esporte e zombar e até agredir os demais torcedores. Mas é bom deixar claro que, quando as brincadeiras são brandas e os assuntos variam, não se caracteriza o fechamento do circuito da memória – comentou o psiquiatra.

– E aqueles homens que só falam de sexo e mulher?

– Igualmente. Alguns falam em excesso porque são impotentes sexualmente. E outros, o que é pior ainda, veem as mulheres como objeto sexual, e não como a parte mais inteligente e generosa da humanidade.

– E as pessoas que não têm outro assunto a não ser o trabalho ou o partido político? Suponho que também elas fecharam o circuito da memória, são vítimas da síndrome CIFE-P – observou o neurocirurgião.

– Elas não têm uma doença psiquiátrica clássica, mas estão asfixiadas e viciadas em sua capacidade de pensar. Quem só enxerga sua profissão ou seu partido político na sua frente tem um desequilíbrio intelectual doentio.

– Eu era um desses desequilibrados. Meu assunto era cérebro, cérebro e mais cérebro. Muitas pessoas apertam parafusos a vida toda, e são dignas por isso, mas não percebem que podem construir sonhos maiores.

– Exato. A memória se psicoadapta a ler um pequeno e estreito grupo de informações, contraindo a criatividade, a imaginação, a capacidade de se superar, de empreender, de andar por ares nunca antes respirados, de pensar como humanidade, de se apaixonar pela vida... A CIFE-P é uma masmorra. Até hoje, não encontrei ninguém que não fosse abarcado por ela em maior ou menor grau, incluindo a mim mesmo. – Depois dessa conclusão, dr. Marco Polo indagou: – Diante de tudo o que falamos, qual é o maior obstáculo para a superação de um transtorno psíquico ou de um problema existencial?

– Não precisa dizer mais nada. Entendi. Desde que os ataques de pânico se sucederam e não foram superados, meu Eu se psicoadaptou à ideia de que sou uma pessoa doente, destinada a ser miserável, programada para ser infeliz – disse o neurocirurgião, visivelmente emocionado. Seus olhos lacrimejaram nesse momento. Pensou em Lucila.

O homem, antes tão seguro, ficara restrito a um pequeníssimo bairro da sua memória. O intelectual produtivo, autoconfiante, que sempre fora crítico, agora era viciado não em uma droga, mas em uma pequena masmorra da sua memória.

– O tempo da escravidão não terminou, apenas mudou de endereço – afirmou dr. Marco Polo, em sintonia com a conclusão de seu paciente.

– Meu alvo estava errado. Sempre acreditei que meu problema eram meus traumas e, em destaque, os transtornos do meu metabolismo cerebral. Tenho um transtorno psíquico a ser superado, mas tenho um Eu a ser libertado – dr. Alan sintetizou magistralmente.

Ele estava positivamente abalado. Era impactante saber que a falta de habilidade de seu Eu para gerenciar o próprio psiquismo e deixar de ser marionete de seus conflitos era mais importante do que sua síndrome do pânico e sua dificuldade de socialização.

Ficou tão sensibilizado que, nas sessões seguintes, trouxe o assunto à tona.

— Dizer que, em tese, meu maior desafio é o doente, e não a doença, não significa dizer que meu Eu é conformista e indisciplinado?

— Sim, e indica ainda que um Eu conformista forma janelas solitárias saudáveis, e não plataforma de janelas light.

— Não estou entendendo.

— As janelas killer representam os traumas. As janelas light representam as experiências que financiam as funções mais saudáveis do psiquismo, como o prazer, a capacidade de criar, ousar, superar-se, ser empático, carismático. É fácil encontrar uma agulha num palheiro?

— Claro que não.

— A memória é como um palheiro enorme. Não adianta uma pessoa impulsiva, ansiosa e irritadiça dizer: "Serei calma daqui para a frente". Essa atitude é boa mas ingênua, pois forma uma janela light solitária, que não será encontrada num momento de tensão. Se o Eu for indisciplinado e conformista, ou seja, se não impugnar e confrontar sua impulsividade todos os dias, produzirá apenas uma janela ou arquivo solitário no imenso palheiro da memória. Sua paciência durará apenas algumas horas.

— Então, para mudar a base das características doentias, não se requer um Eu heroico, que, de um dia para outro, resolva virar a mesa, como muitas vezes tentei fazer?

– Em psicologia não se requer um herói, mas um ser humano que lute todos os dias para se reciclar e se reinventar.

– Tenho que ter disciplina diária para enfrentar meu pânico. Mas como faço isso? Tenho pavor dos meus fantasmas. Entro em colapso quando tenho a sensação de morte súbita.

– Uma personalidade só se torna uma casa de espanto quando suas portas e janelas estão fechadas. Quando não se permite que entre a luz da razão. E saiba que não há dois vencedores. Ou você gerencia sua mente, ou será controlado pelo império do medo.

A sessão terminou. Dr. Alan saiu com uma pergunta na cabeça: "Como?".

Nesse momento o neurocirurgião lembrou-se das palavras do psiquiatra: "Os vampiros da psique humana só nos assombram se permanecem no escuro". Era tempo de entrar na intimidade de sua mente e abrir não uma janela isolada, mas muitas janelas, para que a luz da razão pudesse entrar.

16

Um diálogo insubstituível

Para dr. Marco Polo, todos os profissionais de saúde, incluindo os psiquiatras e psicoterapeutas, deveriam ser carismáticos e empáticos. Como carismáticos, deveriam distribuir elogios e promoções. Como empáticos, deveriam se colocar no lugar do outro, ser distribuidores de sabedoria. Elogiando e promovendo cada etapa do crescimento das pessoas, ampliam-se as pontes interpessoais, ao mesmo tempo que se provoca a construção de janelas saudáveis.

À medida que dr. Alan entrava em camadas mais profundas da sua mente, compreendia alguns fenômenos básicos que o aprisionaram durante anos.

– Não se deletam as janelas killer ou traumáticas. Nos computadores, temos plena liberdade para deletar os arquivos. Na memória humana, o Eu não tem ferramentas para apagar os traumas. A única possibilidade de eliminar os arquivos é através de processos mecânicos que injuriam o cérebro – afirmou dr. Marco Polo, quando os dois voltaram a se encontrar no consultório.

– Como um tumor cerebral, uma doença degenerativa, um traumatismo cranioencefálico, uma hemorragia cerebral – descreveu dr. Alan, um especialista na área.

– Exatamente!

Mas, em seguida, o neurocirurgião, abatido, indagou ao psicoterapeuta:

– Se só por processos mecânicos cerebrais posso apagar minha memória, isso significa que serei escravo do meu transtorno a vida toda? Conviverei com minha síndrome do pânico, minha fobia social e meu marcante sentimento de incapacidade social e profissional?

O psiquiatra renovou-lhe a esperança.

– Não é possível deletar as janelas traumáticas, mas é possível reeditá-las. – E acrescentou: – Podemos e devemos reescrever as janelas killer que se abrem num foco de tensão. Quando você tiver um ataque de pânico, desafie a morte.

– Desafiá-la? É impossível! Morro de medo só de pensar no instante final da minha existência. O nada, o fim, o vácuo existencial, o apagar das luzes, o silêncio gélido, a ausência radical de tudo e de todos me apavoram.

Dr. Marco Polo sabia que aquele pânico, experimentado por dezenas de milhões de pessoas, não era um medo comum, uma preocupação débil. Esse pânico fecha o circuito da memória de maneira tão violenta que se tem a convicção de que se está às portas da morte. Em alguns casos, não é a ideia da morte que gera o pavor, mas a da perda da consciência, ou do escândalo social. Todavia, em quase todos os casos, os ataques de pânico representam um grito de alerta do cérebro para que se mude o estilo estressante de vida. Só que o grito domina seu portador.

– Reconheço que suas crises de pânico são dramáticas. Mas jamais se esqueça de que um monstro desconhecido se torna aterrorizador, enquanto um monstro conhecido se torna domesticável.

– Como assim?

– Enfrente, impugne, confronte seu medo!

– Mas sou fragilíssimo!

– Você se sente frágil, mas não é frágil – retrucou rapidamente dr. Marco Polo. – O Eu tem uma força brutal, poderosa, embora desconhecida e pouco utilizada. Reitero: descortine o monstro alojado em sua mente. Desafie a morte, rebele-se contra ela no silêncio de sua mente.

Nesse exato momento, dr. Alan começou a ter uma crise de pânico no consultório. Ficou rubro, tenso, taquicárdico, ofegante, sudorético. Irreconhecível.

– Você... não entende... o pânico é terrível.

– Use a técnica do DCD: duvidar, criticar e determinar. A dúvida é a fonte da sabedoria na filosofia; a crítica é a fonte na psicologia; e a determinação estratégica é o ferramental mais poderoso na área de recursos humanos.

– É forte demais... Fico paralisado. Só consigo pensar que, cedo ou tarde, irei para a solidão de um túmulo. Isso é terrível.

Foi então que dr. Marco Polo lhe disse:

– Todos vamos morrer. Quando? Não sabemos. O importante é fazer de cada dia um momento eterno.

Mas dr. Alan estava asfixiado pelo medo. E tentou defender sua inércia com argumentos inteligentes:

– Prenda um ser humano num quarto escuro e peça que fique em silêncio absoluto! Não há como não enlouquecer.

– Hollywood filma a morte frequentemente, ficcionistas abordam-na em seus romances, ateus a consideram natural, religiosos querem superá-la, e médicos buscam adiá-la, mas, sinceramente, todos somos meninos a discutir aquilo que não conhecemos – comentou dr. Marco Polo, que, por ter tratado inúmeros pacientes com síndrome do pânico, já havia refletido muitas vezes sobre a finitude da vida.

A mente brilhante do dr. Alan criava masmorras inteligentes, o que o levou a dizer:

– Todos os dias quero dar um grito de liberdade. Mas perco a minha voz interior.

– Pior do que morrer é estar vivo-morto. Duvide do ataque de pânico, duvide desse cárcere, duvide que não sairá desse calabouço. Desafie a ideia da morte. Se o fizer, enxertará novas experiências nas janelas killer e assim as reeditará. Faça a técnica do DCD diariamente.

– Como?

– Tudo em que você crê o controla. Mesmo que creia em uma falsa crença, ficará aprisionado a ela durante a vida toda. Duvide veementemente do controle da CIFE-P. Duvide da masmorra do pânico. Duvide da ideia de que você está programado para ser um doente mental. Se não reeditar as janelas traumáticas, perpetuará sua escravidão.

Dr. Alan colocou as mãos na cabeça. Sempre se intimidou diante dos próprios ataques.

– Mas não basta a ferramenta da dúvida – acrescentou dr. Marco Polo. – Faz-se necessária a ferramenta da crítica. Critique as ideias de morte. Critique seu Eu passivo, tímido e inseguro. Critique os fundamentos irreais do seu medo. Não dê tréguas ao seu pânico.

– Todos os dias meu Eu deve duvidar e criticar?

– Todos os dias e com intensa carga emocional. É como fazer a higiene bucal. Seja disciplinado. E, depois de duvidar e criticar tudo o que o controla, use a terceira ferramenta da técnica do DCD: a determinação estratégica.

Decida não ser escravo da CIFE-Tensional nem da CIFE-Psicoadaptativa! Use estratégias para se encantar com a vida, sonhar, desenvolver projetos de vida! Decida abrir o circuito da memória e andar por caminhos nunca antes percorridos. Decida não vender sua tranquilidade nem sofrer por antecipação!

– O DCD é uma técnica de efeitos rápidos?

– É um processo que deve ser realizado no silêncio da mente e fora do ambiente do consultório. Ele complementa o tratamento. No consultório, você vasculha analiticamente as origens dos seus fantasmas mentais; fora do consultório, você os adestra e domestica.

Dr. Marco Polo ainda afirmou que dr. Alan não imaginava como um Eu educado para ser líder de si mesmo era capaz de reeditar as janelas da memória. É melhor ser um atleta coadjuvante em campo do que um gigante mentalmente preguiçoso. Em seguida completou:

– Não tenha medo das recaídas. Se elas ocorrerem, encare-as como uma oportunidade para seu Eu reeditar aquela zona traumática que antes não havia sido tocada.

– Você está mudando todos os meus conceitos sobre transtorno de pânico.

– Bem-vindo à era do Eu como gestor da mente humana. Recaídas, crises, caos não são desejados, mas, caso ocorram, podem ser encarados como oportunidades excelentes para construir novos núcleos de habitação do Eu.

O neurocirurgião respirou profunda e lentamente. Em seguida agradeceu ao psicoterapeuta:

– Obrigado por não me tratar como um doente mental, um homem esfarrapado, mas como um ser humano a ser reconstruído...

Logo que saiu da sala do psiquiatra, dr. Alan se deparou com uma personagem vital na sua história à sua espera: a filha Lucila. Fizera uma surpresa para ele. Queria saber mais sobre seu processo de superação. Dr. Alan, muito diferente das últimas vezes em que a encontrara, estampou um sorriso no rosto e abriu os braços, como costumava fazer quando ela era apenas uma menina.

Seu transtorno emocional cobrara um preço altíssimo. Hoje, a filha era uma mulher. Ao percebê-la adulta, emocionou-se. Chorou na frente de algumas pessoas na sala de espera. E, dessa vez, não teve vergonha de suas lágrimas. Não eram de dor, mas de comoção.

– Desculpe-me por não tê-la visto crescer.

Ela estava felicíssima por ver o pai reorganizando a própria personalidade. Sonhava com o dia em que ele voltaria a ser o que era. Mas o medo do futuro afetava a ambos. Ela temia não ter o pai de volta. Ele temia não deixar de ser um ser humano inútil.

– Papai, não se culpe. Estou aqui.

– Você se tornou uma mulher linda. Como não enxerguei isso antes? Quer tomar um sorvete?

– Sério? – indagou Lucila, eufórica. Era algo tão simples, mas a comoveu mais do que se tivesse ganhado uma joia. Fazia anos que não saíam juntos.

– Mas você paga a conta – brincou Alan.

Ele dispensou o motorista, e os dois saíram de mãos dadas.

– O que você aprendeu ultimamente em seu tratamento, pai? – perguntou Lucila enquanto caminhavam.

– Isso é segredo de estado – disse ele descontraidamente, como raramente fazia. – Mas, como você é apaixonada por mim, posso contar-lhe algo. Descobri que o problema não é a doença, mas o doente.

– Interessante. Conte-me mais...

– O Eu deve ser o grande gestor da mente humana; caso contrário, será vítima dos estímulos estressantes, seja dos monstros de fora, seja dos de dentro.

– Às vezes não me sinto líder de mim mesma – comentou Lucila.

– Descobri também que toda mente é um cofre e que não existem mentes impenetráveis, mas chaves erradas.

– Você sempre foi um cofre fechadíssimo! – afirmou a filha, bem-humorada.

– Tem razão, filha. Sou complicado, arredio, resistente, com necessidade neurótica de estar sempre certo, mas não sou impenetrável.

– Fascinante, papai.

– Descobri ainda que devo trabalhar o papel do Eu como piloto da aeronave mental, em especial para reciclar a síndrome CIFE-Tensional e a CIFE-Psicoadaptativa.

– Espere um pouco, papai. Não sintetize – pediu a futura psicóloga, que em poucas semanas se formaria. – Conte-me tudo; quero entender esse processo.

– Quando entramos numa zona traumática ou killer do córtex cerebral, o volume de ansiedade fecha o circuito da memória. Por isso, nos primeiros trinta segundos de tensão, cometemos os maiores erros de nossa vida. Palavras e atitudes que jamais deveríamos expressar são produzidas quando somos vítimas da CIFE-Tensional.

– Nossa! Às vezes não me reconheço quando sou estúpida com a mamãe. E o que devemos fazer?

– O silêncio proativo. Devemos nos calar por fora e impugnar nossa reação por dentro. – Então ele lhe explicou a técnica do DCD.

– Às vezes reajo sem pensar. Não confronto minhas emoções angustiantes. E o ciúme, onde se encaixa? – perguntou Lucila, que vivia insegura com seu namorado, que a cobrava excessivamente e transformava a relação num inferno.

– O ato do ciúme, a agressividade e as crises são característicos da síndrome CIFE-Tensional, pois a pessoa está presa por uma janela traumática que bloqueia o acesso a milhares de outras janelas. Mas o ciúme em si, a insegurança, o medo da perda, a baixa autoestima estão ligados à CIFE-Psicoadaptativa.

– Não entendo, papai.

– Viciamos o processo de leitura em determinada área de nossa memória. Quem tem ciúme se apequena e superdimensiona o outro. Quem tem ciúme tem déficit de autoimagem e, por isso, vive em função da perda.

– Nunca pensei nisso.

– Quem tem medo da perda já perdeu – disse o neurocirurgião.

– Como assim, papai?

– Perdeu sua autoestima, sua segurança, sua autoconfiança. – E, percebendo que a filha tinha dificuldades com o namorado, emendou: – Quer uma orientação? Ou melhor, uma ferramenta?

– Se não for caro... – respondeu ela, extasiada. Seus olhos brilhavam enquanto ouvia o pai.

– Olhe bem nos olhos do seu namorado e lhe diga: "Eu sou linda e inteligente, e você, um privilegiado em estar comigo. E olhe: se me abandonar, eu não me abandonarei. Quem vai perder será você".

– O que é isso? Você operou meu cérebro. Atirou minha autoestima nas nuvens.

– Sou bom nisso – brincou ele.

De repente, os olhos de Lucila se encheram de lágrimas.

– Por que está chorando, minha filha? – indagou dr. Alan, preocupado.

– É que você praticamente não me orientava desde que eu era uma criança.

Ele a abraçou e lhe deu um beijo em cada face e na testa. Não bastava mais pedir desculpas. Não era possível retornar ao passado, mas era possível reconstruir o futuro. Era necessário caminhar. E foi o que eles fizeram. Nesse dia, não houve nenhuma crise. E, assim, Alan e Lucila, pai e filha, começaram a navegar nas águas da emoção e a passear pela colcha de retalhos da memória, com direito a ouvir a música dirigida pelo maior de todos os maestros, o Eu.

Lucila reacendeu uma chama que os filhos facilmente apagam na relação com seus pais, uma chama que deveria permanecer sempre viva: a admiração. Sem admiração, não há como influenciar a personalidade de quem se ama. Sem admiração, os gritos não são ouvidos, o dinheiro perde o valor e as regras tornam-se estéreis.

17

Recuando depois da derrota

Claudia percebia que seu marido estava – a olhos vistos – mais relaxado, motivado, participativo. Ele arriscava sair do seu calabouço e voltara a se preocupar com o bem-estar dos outros. Mantinha alguns diálogos com a empregada. Cuidava da aparência. Mas ainda fazia da casa sua prisão. Animada, Claudia ligou para Lucila.

– Estou mais confiante. Seu pai está cada vez melhor. Estou começando a ter esperanças menos ilusórias.

– Sinto a mesma coisa. Papai está seguro e lúcido. Há poucos dias, me deixou embasbacada com suas ideias – comentou Lucila, eufórica.

– Fui convidada por uma amiga para uma festa surpresa por ocasião do aniversário do marido dela, um médico do hospital onde seu pai trabalhava. Estou pensando em convidá-lo. O que acha?

– Talvez possa acelerar o processo de melhora – comentou Lucila, na expectativa de que seu pai, embora não pudesse retomar a vida como médico, pelo menos saísse do seu mundo e se tornasse, pouco a pouco, um ator social produtivo.

— Vamos juntas, assim talvez ele aceite o convite – disse Claudia, temerosa quanto à resistência do marido em aceitar o convite e também com, caso o aceitasse, a sua reação num ambiente rodeado de antigos colegas de profissão.

Claudia deixou para fazer o convite no dia da festa, às cinco da tarde. Falou sobre quem estaria presente e comentou:

— Não quero ir sozinha desta vez.

— Não estou preparado – afirmou Alan.

— Mas você é um médico.

— Fui há muitos anos!

— Quando você estará preparado para sair comigo?

— Não sei.

— Não percebe que cansei de me sentir viúva?

Após dizer essas palavras, Claudia saiu aborrecida para o quarto, recusando-se a falar com ele.

No início da noite, Alan foi até o quarto e, em vez de colocar seu surrado pijama, vestiu uma camisa preta com listras azuis, um blazer verde e uma calça azul-escura, calçou os sapatos e se perfumou. Claudia se arrumava em outro cômodo; mais uma vez, sairia sozinha sem o marido. Quando ela entrou no aposento em que Alan estava, levou um susto.

— Por que essa roupa colorida? Aonde você vai?

— Na festa para a qual você me convidou!

Feliz da vida, ela disse:

— Que bom! Mas não é um carnaval. Essa calça não combina com essa camisa, que não combina com o blazer. – E rapidamente o alinhou. – Lucila irá conosco.

Dr. Alan se animou um pouco. A filha era um pilar a mais para apoiar sua personalidade insegura em ambientes sociais.

Chegando ao local, no entanto, fechou-se dentro de si. Havia muito mais gente do que Claudia lhe contara. Todos os que o conheciam ficaram surpresos com a sua presença. Teria que responder a muitas perguntas.

– Como está, doutor Alan? – indagou um colega, neurologista clínico.

– Caminhando.

De repente, alguém bateu às suas costas. Alan se virou e recebeu um abraço afetuoso.

– Meu querido amigo! Que bom ver que você está cada vez melhor! – Era Paulo de Tarso.

Alan não lhe deu resposta. Apenas fez sinal de agradecimento. Estava intimidado.

Um jovem neurocirurgião que conhecia sua fama disse em tom alto:

– Que prazer conhecer o mais brilhante cirurgião que o Hospital Santa Cruz já teve!

Mas o jovem médico logo ficou constrangido. Sentiu que uma pessoa próxima detestou ouvir aquele elogio dirigido ao dr. Alan: o antigo desafeto, dr. Ronald.

– Você está enganado. Fui apenas útil enquanto tive saúde.

Dr. Ronald se virou para ele e, sem cumprimentá-lo, o feriu.

– Saiu do casulo, doutor Alan?

Alan olhou bem em seus olhos, respirou pausadamente e lhe disse:

– Saí! E você, feliz em seu reino?

– Muito feliz. Depois que o rei foi degolado não me restou outra opção.

Lucila, pegando no braço direito do pai, o tirou rapidamente daquele clima tenso.

Infelizmente, instantes depois desse episódio, enquanto procurava um lugar para sentar, dr. Alan foi acometido por um ataque de pânico. E dos fortes. Teve vertigem, intensa taquicardia, sensação súbita de desmaio. Desequilibrou-se e bateu com as mãos nos braços do garçom, que acabou derrubando duas grandes bandejas. Todos os presentes voltaram seus olhos para eles. Lucila, ansiosa, perguntou-lhe:

– Papai! Papai, tudo bem?

A plateia percebeu a aflição da filha, bem como a fragilidade do neurocirurgião. Dr. Alan não respondeu. Apenas tentava puxar o ar. A Síndrome do Circuito Fechado da Memória bloqueava seu raciocínio. Entretanto, ele não se rendeu e procurou aplicar a técnica do DCD. Quando estava conseguindo gerenciar sua mente, procurou se apoiar na mesa e, sem querer, derrubou vários outros pratos. Novamente, um escândalo. Ouviram-se risadas na pequena sala onde a festa transcorria. O anfitrião, mostrando descontentamento, teceu comentários maldosos para seus pares. Abalado, dr. Alan olhou para os presentes e disse timidamente:

– Desculpem-me... Desculpem-me.

Abaixou a cabeça e pediu para sair. Alan estava longe daquele homem que dava conferências brilhantes, debatia ideias, argumentava e transformava o caos em oportunidade criativa. Agora, sob os olhares sociais, ficava sem voz, trêmulo, inseguro.

– Você não tem do que se desculpar – afirmou o amigo Paulo de Tarso.

No entanto, diante do "vexame", dr. Alan não conseguiu ter autocontrole. Lucila e Claudia o pegaram pelos braços, uma de cada lado, e o retiraram de cena. Uma crise dessa magnitude normalmente precipitaria uma intensificação do seu isolamento. Alan voltaria a se isolar em sua masmorra.

E foi o que aconteceu. Ficou uma semana sem sair de casa. Não foi sequer às sessões com o dr. Marco Polo.

Esposa e filha tentavam animá-lo, mas a CIFE-Psicoadaptativa o havia tornado um especialista em se punir, em achar-se o mais impotente dos homens, um ser condenado à insignificância social. Alan quis desistir de tudo.

Porém, passado esse período de retrocesso, resolveu, de livre e espontânea vontade, retomar o tratamento. Estar com dr. Marco Polo era aprender a aprender, aprender a gerir sua mente – mesmo que o aprendizado, muitas vezes, não fosse um processo confortável.

Na consulta, após um silêncio mordaz, o neurocirurgião abriu a boca:

– Não me venha com a história de que o problema não é a doença, mas o doente. – E se levantou da poltrona para ir embora. Estava irreconhecível. Irritado, afirmou: – Estou melhor, mas definitivamente não tenho condições de viver em público. Eu sou doente! Tenho de admitir isso.

– Você está doente, não é doente!

– Não, eu sou doente. Melhoro e pioro – falou em tom alto.

– Esqueceu-se de que recaídas são oportunidades para reeditar janelas antes não trabalhadas?

– Estou muito contaminado. Minha vida é um teatro. É melhor desistir.

– Se sua vida é um teatro, saia da plateia – disparou com firmeza o experiente psiquiatra.

– Na plateia? Eu?

– Sim, na plateia, como espectador passivo. Assuma seu papel como diretor da sua história.

– Não consigo.

– Não consegue ou lhe é conveniente permanecer como está? É mais fácil admitir-se doente e ter um ganho secundário da sua esposa e da sua filha.

– Você está dizendo que amo estar doente? – indagou dr. Alan, irado.

– Não, em hipótese alguma. Mas você acaricia sua doença em alguns momentos. Estar doente lhe propicia migalhas de prazer.

Nesse momento, Alan voltou a se sentar. Quando as janelas da sua mente se abriam, sua mente voltava a respirar, e sua emoção saía do calabouço.

– Tornei-me um homem imprestável.

– Discordo. Sua passividade o tornou cúmplice da sua doença.

– Ninguém ousou me dizer isso!

– Se não tenho razão, me desculpe – falou o psiquiatra, que queria que o Eu de dr. Alan deixasse de ficar na retaguarda.

O neurocirurgião fez uma longa pausa. E confessou:

– Tenho que admitir que sou controlado pela Síndrome do Circuito Fechado da Memória. Quando tenho um ataque de pânico, fico irreconhecível. Todo o meu conhecimento médico se derrete como gelo sob o sol escaldante. Bloqueio meu prazer de viver, minha liberdade, minha capacidade de escolha.

Dr. Marco Polo ponderou que todo ser humano adquire vícios no processo de leitura da memória que o levam a ter paradoxos irracionais. Pessoas ponderadas, em alguns focos de tensão, agem desequilibradamente. Pessoas pacientes tornam-se intolerantes diante de certas contrariedades. Intelectuais reagem estupidamente diante de determinados estímulos estressantes.

– Além dos fantasmas emocionais sobre os quais já comentamos, quais são os medos que o tiram do ponto de equilíbrio? – dr. Marco Polo indagou.

Dr. Alan, menos resistente, respirou profundamente e confessou:

– Tenho medo de envelhecer, de empobrecer, da crítica social, de ser objeto de vergonha.

– Quais mais?

– Tenho medo de conversar com meus colegas e com os alunos que treinei. Eles eram tão despreparados e hoje são infinitamente melhores do que eu. Vê-los brilhar me alegra e, ao mesmo tempo, me deprime.

– Há mais?

– Não basta? – indagou o neurocirurgião, querendo esquivar-se de si mesmo.

– Só você pode me dizer. Quem não tem coragem de mapear seus conflitos leva-os para o túmulo. Você quer levá-los?

– Não! – Dr. Alan fez uma pausa e confessou: – Tenho medo, muito medo do futuro. Sobretudo de a minha mente se deteriorar. Medo de ser internado num hospital psiquiátrico e de lá não mais sair.

– Sobrou algum outro medo?

Dr. Alan exalou pesadamente o ar e confessou sua grande fobia:

– Os que mais me apertam a alma: o medo de perder Lucila e o de ser abandonado por Claudia.

– Não se diminua nem se culpe por ser abarcado por esses medos. Só não tem medo quem está morto. Mas você deve saber que os medos são arquivados sem a permissão do nosso Eu.

– Como assim?

– Na memória de um computador, o registro passa, em muitos casos, pelo comando do Eu. Em nossa memória, o arquivamento é produzido em milésimos de segundo por um fenômeno inconsciente que jamais pede autorização do Eu: o Registro Automático da Memória, o RAM. E tudo o que tem maior carga emocional, como medo, rejeição, asco, ódio, exclusão, é registrado privilegiadamente.

Diante disso, o inteligente neurocirurgião indagou ao psicoterapeuta:

— Quer dizer que todas as vezes em que evitei registrar minhas crises eu só reforcei o registro das janelas traumáticas?

— Infelizmente, sim.

— Todas as vezes em que excluí meus desafetos, eles foram arquivados solenemente em meu cérebro?

— Exatamente!

— Então fui um estúpido.

— Todos nós o somos, com maior frequência do que imaginamos.

— E por que não aprendemos isso em nossos cursos universitários?

— Embora haja exceções, as universidades formam técnicos — avaliou categoricamente dr. Marco Polo.

O tempo de mais uma sessão chegou ao fim. Dr. Alan estava perturbado com tudo o que ouvira. Jamais imaginara que, ao odiar e rejeitar seu pânico, acelerava seu transtorno mental.

Dois dias depois, ocorreria a esperada formatura de Lucila. A filha não tinha nenhuma esperança de que seu pai estivesse presente, ainda mais depois dos últimos acontecimentos. Claudia comentou com Alan sobre o evento, mas ele permaneceu inerte. Apenas enviou uma mensagem carinhosa para a filha, parabenizando-a. Claudia foi prestigiar Lucila. Como sempre, sozinha.

Os diplomas já haviam sido entregues. Era hora do baile. Os casais se posicionaram, um a um, no centro do salão. Então, do lado de fora, um homem desesperado desceu de um táxi, passou apressadamente pelo pátio e entrou no imenso salão. Aflito, pediu passagem no meio da multidão. Parecia querer enfrentar no peito a barreira humana. Enquanto isso, Lucila adentrava a pista com um tio. De repente, sentiu um toque em seu ombro. Era seu pai, que trajava um belo *smoking* preto, gravata listrada e camisa de algodão branca. Desta vez, estava razoavelmente bem vestido. A jovem ficou abismada.

– Permite-me? – disse seu pai, convidando-a para dançar.

– Papai! Não é possível, você veio!

Ele a conduziu até o centro do anfiteatro. Chegando lá, disse-lhe:

– Segure-se, princesa. – Ela queria lhe dar um abraço e beijá-lo. Mas ele tentou acalmá-la. – Você vai borrar sua maquiagem.

– Não me importo.

Então ela o beijou e o abraçou prolongadamente enquanto todos dançavam. Muitos presentes ficaram comovidos. Claudia enxugou os olhos com um lenço branco diante da cena. Depois do abraço, Lucila disse ao pai:

– Deixe-me ensiná-lo a dançar.

Mas, surpreendentemente, ele segurou uma de suas mãos e posicionou a outra no ombro dele. Antes de ter sido um brilhante cirurgião, fora um frequentador de pistas de dança. Nem sua esposa conhecia esse seu lado. Lucila não conseguia se conter de tanta alegria. Foi o melhor presente que jamais recebera. Ao término da dança, Alan disse a sua adorável filha:

– Obrigado por existir.

– Obrigada por me colocar em lugar de destaque em sua vida – ela falou, comovida.

Ele pegou as duas mãos da filha e, antes de partir, falou-lhe ao coração, produzindo uma daquelas frases inesquecíveis:

– Não pude lhe dar tudo o que quis, mas, de hoje em diante, quero lhe dar tudo o que tenho...

Na volta para casa, dr. Alan estava mergulhado num estado de ânimo. Lembrou-se de que até então era tímido em domesticar seus medos e especialista em se esconder na plateia, afundado numa mísera poltrona, contaminado por um conformismo asfixiante. Agora disse a si mesmo:

– É tempo de entrar no palco... Ainda que dê vexames!

18

Perplexo com sua mente

Dr. Marco Polo alegrava-se com a superação do dr. Alan. Percorria as entranhas da história deste, ao mesmo tempo que ambos discutiam fatos e estresses cotidianos do neurocirurgião. Continuavam a fazer a mais fascinante jornada que um ser humano deve empreender nesta diminuta existência: desvendar algumas das camadas mais profundas da psique humana. Uma jornada que, infelizmente, na era digital, poucos se aventuram a realizar. A maioria prefere viver na superfície do planeta Terra e na superfície do planeta psíquico. Os meses se passaram, e dr. Alan tinha liberdade de expor sem freios suas inquietações, inclusive sociais.

– Perturba-me o fato de a vida ser tão breve e tão injusta – afirmou.

– O que o angustia? – dr. Marco Polo questionou.

– As sequelas emocionais que abatem os menos favorecidos e menos protegidos são dantescas. Se eu, que tinha uma personalidade relativamente estruturada, desmoronei diante da síndrome do pânico, imagine as crianças abandonadas pelos pais, abusadas sexualmente, vítimas de atos terroristas, dilaceradas pelo *bullying* nas escolas?

— De fato, a vida não é justa — considerou o psiquiatra.
— Só que há fenômenos psíquicos nos bastidores da mente humana que podem inverter a lógica. O universo dos sentimentos é um deles. Nenhum governo é tão democrático quanto a emoção.

— Como assim?

— Ter cama confortável não quer dizer dormir bem.

— Concordo — disse dr. Alan, que tinha uma cama *king size*, porém era frequentemente abarcado pelo transtorno do sono; remoía pensamentos aflitivos, transformava uma cama macia numa cama de pedra.

— Ter comida farta à mesa não quer dizer ter prazer em comer. Mais de cinquenta milhões de pessoas, a maioria mulheres jovens, estão morrendo com a mesa farta.

— Como assim?

— São vítimas de anorexia nervosa. O padrão tirânico de beleza imposto pelas modelos fotográficas não é inocente. É registrado pelo fenômeno RAM e produz janelas killer duplo P. Muitas mulheres estão magérrimas, mas se veem gordas. Foram sequestradas no único lugar em que é inadmissível ser um encarcerado.

— Mais uma vez, concordo. Conheço muitos milionários que mendigam o pão da alegria. Comem ansiosamente — disse o neurocirurgião. E se lembrou do déficit de autoestima do namorado de Lucila, traduzido pelo ciúme excessivo dele.

Dr. Marco Polo continuou a tecer comentários. Preparava o ambiente para falar da admirável democracia da emoção, um assunto pouquíssimo explorado nas ciências humanas.

— Saber corretamente a língua não quer dizer ter maturidade para falar de si mesmo e educar. Grande parte dos pais americanos, chineses, europeus transfere dinheiro para seus filhos, mas não transfere o capital das suas experiências. Esses pais nunca falam dos seus medos para que seus filhos adquiram habilidades para lidar com os deles, e cedo ou tarde estes terão de enfrentar seus fantasmas.

Dr. Alan sentiu um nó se formar na garganta. Seu silêncio era um grito solene de concordância e indicava que tinha essa dívida com Lucila.

– Ter bajuladores não quer dizer ter um ombro em que se apoiar quando o mundo desaba.

– Nos tempos de glória, eu tinha muitos amigos ao meu redor. Nos vales do vexame, eles sumiram. Fiquei só com minhas lágrimas. E um único amigo: o Paulo de Tarso – afirmou Alan.

– Ter seguro de carro, de casa, de vida não significa, em hipótese alguma, ter proteção psíquica – comentou dr. Marco Polo.

– Não há como não concordar. Tratei de multimilionários que tinham seguranças e carros blindados, mas, desprovidos de qualquer proteção psíquica, entravam em crise quando minimamente contrariados. E, com a morte do líder da família, seus herdeiros lutaram pelos bens materiais como gladiadores que se odeiam.

– E o que você me diz sobre esta afirmação: ter tido uma vida mutilada, privada, ferida, abandonada não quer dizer ser programado para ser infeliz, doente, emocionalmente miserável.

Dr. Alan se contrapôs com veemência:

– Discordo, dr. Marco Polo.

– Muito bem. Apresente seus argumentos, convença-me, e me curvarei às suas ideias.

– Discordo porque o caos pode desorganizar para sempre uma estrutura psíquica. Não deixar pedra sobre pedra. Abusos, perdas gritantes, rejeições dramáticas formam janelas killer duplo P encarcerantes. Você está indo contra a sua própria teoria.

— Aparentemente, sim, mas e a democracia da emoção que acabei de expor? Não se aplica a esses casos?

— Para mim, se aplica a situações brandas. Quem teve sua infância ceifada pela lâmina de estímulos violentos tem reduzidíssimas chances de ser saudável e feliz.

— Discordo veementemente – disse dr. Marco Polo. – E sustentarei minha discordância expondo a você a colcha de retalhos da memória, em especial a Memória de Uso Contínuo, ou MUC, como fundamento da democracia da emoção.

O assunto era tão novo para o neurocientista que ele se fixou em cada palavra proferida pelo psiquiatra e pesquisador da psicologia. Dr. Marco Polo comentou que a memória pode ser dividida em duas grandes áreas: a ME, que quer dizer Memória Existencial, ou inconsciente, e a MUC, ou Memória de Uso Contínuo, ou consciente. Disse que a MUC corresponde a algo em torno de dois por cento de toda a memória, enquanto a ME é imensa, contendo todas as experiências arquivadas desde a aurora da vida fetal.

— A MUC representa a fonte de informações e experiências que nutre quase toda a construção de pensamentos, ideias, imagens mentais e emoções diárias. Enfim, financia nossa capacidade de ver, sentir, reagir – explicou o psiquiatra.

— Na neurociência, usamos os termos memória de curto e de longo prazo – comentou dr. Alan.

— É uma divisão aceitável, mas, para mim, é mais didático e observável usar o termo MUC ou memória contínua. Esta representa o centro de circulação mais importante do Eu. E a ME, a memória que contém nossa biografia, toda a imensa periferia da grande cidade da memória. Deixe-me explicar melhor.

Ele comentou que todas as informações escolares, da TV, dos livros, bem como todos os atritos, discussões e conflitos vivenciados por um ser humano estão presentes nessas duas memórias. Entretanto, ponderou, tudo o que é usado continuamente faz parte da MUC, da memória consciente. E tudo o que deixa de ter um uso frequente é deslocado para a ME.

– Isso quer dizer que a memória é plástica, se movimenta? As informações e experiências hoje presentes na MUC, no centro consciente, podem ir para a periferia da memória, ou memória inconsciente? Os amigos e os medos da infância que estavam na MUC, ou no centro de circulação do Eu, se não são mais acessados, vão para os bairros periféricos do adulto? – perguntou dr. Alan.

– Exatamente. E o caminho inverso também é verdadeiro.

O neurocirurgião deu uma risada. Parecia que Marco Polo sempre queria provocá-lo positivamente.

– Quer dizer que este homem derrotado que se apresenta à sua frente pode resgatar seus momentos de glória arquivados na ME e deslocá-los para a MUC? Não parece um delírio?

– Você é que deve responder a essa pergunta.

– Estamos há vários meses neste tratamento, e, nas últimas semanas, tenho sentido um ânimo inexplicável, uma vontade de lutar pelos meus sonhos que há anos não sentia.

– Você está migrando experiências da ME para a MUC, do inconsciente para o consciente, da periferia para o centro de circulação do Eu.

Diante dessa exposição, dr. Alan lembrou-se de uma triste história, de um brilhante anestesista que se tornara dependente de drogas e as utilizava até no centro cirúrgico. O homem fez um tratamento e melhorou, mas depois de dois anos recaiu.

– É por isso que pessoas dependentes de drogas que não reeditaram as janelas killer duplo P ou não construíram plataformas de janelas paralelas podem recair?

— Sim. O que está no inconsciente pode retornar ao consciente, e vice-versa.

Em seguida, o psiquiatra comentou que o inconsciente não é um calabouço na mente humana, uma caixa preta insondável e impenetrável, como muitos psiquiatras e psicólogos pensam. Ele se movimenta entre a MUC e a ME. Preocupações, alegrias, pessoas com quem convivemos hoje podem, depois de alguns anos, ir para a periferia e, num momento posterior, retornar, ainda que com alterações. E completou:

— O inconsciente influencia nossa maneira de ser e de pensar, mas não de forma perceptível, como o consciente ou a memória de uso contínuo.

— O humor triste ao entardecer, a angústia ao se levantar, o tédio do final do domingo são experiências que estão na periferia, mas que interferem na emoção — disse dr. Alan, que havia anos era afetado por essas experiências e só agora tinha uma explicação para elas.

— É provável que oitenta por cento dos jovens e adultos tenham traços de timidez e insegurança e não entendam por quê. A resposta não está no consciente, na MUC, mas no inconsciente, na ME, enfim, nas experiências da infância.

Dr. Marco Polo comentou que pais e professores que comparam uma criança a outra, que as silenciam diante de estranhos e que são especialistas em exaltar os erros em vez de aplaudir os acertos são fomentadores de janelas killer, inibem seus filhos e alunos.

— Espere um pouco. Você disse que, teoricamente, apenas dois por cento de toda a memória está dentro da MUC — recordou dr. Alan, que estava prestes a fazer um dos mais belos *insights* da sua vida.

– Provavelmente – disse o psiquiatra. – O fato é que a MUC representa uma parte muito pequena, porém integradora, de toda a base da memória. A grande maioria das nossas emoções, pensamentos, interpretações, ousadia, recuos é produzida a partir das informações e experiências contidas na MUC, e não na ME.

– Se resolvemos as janelas killer da MUC, ainda que a ME esteja dilacerada por milhares de outras janelas traumáticas, conseguimos sobreviver – concluiu dr. Alan.

– Bem-vindo à democracia da emoção – afirmou dr. Marco Polo, animado com essa conclusão.

E dr. Alan completou:

– Mesmo uma pessoa que foi abusada sexualmente, sofreu perdas dramáticas na infância ou conflitos angustiantes, como os que eu vivi na vida adulta, se equipar seu Eu para reciclar seu centro de circulação, a MUC, poderá ter uma vida social, afetiva e profissional realizada!

Dr. Marco Polo saiu da sua poltrona e cumprimentou dr. Alan.

– Parabéns, você elaborou um dos mais belos raciocínios da psicologia. Novamente, lhe dou as boas-vindas à democracia da emoção, dr. Alan.

– Então todo ser humano mutilado tem esperança, pode se reconstruir.

– Pelo menos a sua MUC.

– Até um psicopata?

– Inclusive um psicopata, embora haja quem discorde dessa reconstrução. E por que muitos psicopatas não têm sucesso em se tornar pessoas generosas e altruístas? Por três grandes motivos: porque seu Eu tem grande dificuldade de ser autor da sua história; porque seu Eu não atua como editor ou reurbanizador das janelas traumáticas; e porque seu Eu se esquiva de vivenciar a dor que causou nas vítimas, bloqueando o saudável mas angustiante sentimento de culpa.

– É possível reeditar todas as janelas killer?

– Não. Nem é desejável. Uma casa sempre tem um quarto da bagunça, mas nem por isso ela não é agradável e higiênica. A memória também tem esses arquivos – dr. Marco Polo afirmou categoricamente. – Você tem um quarto da bagunça em sua memória?

– Um enorme...

– Você vai diminuí-lo, mas não eliminá-lo. Por isso, não há uma pessoa cem por cento lúcida, calma, coerente. Nem o mais respeitável religioso do mundo.

– Alguns fantasmas, eu destruo. Mas outros...

– Você adestra...

– E quando a mente algema alguns de nossos vampiros nos porões da ME, isso não é uma forma de defesa? – indagou dr. Alan.

– Embora não produza resolução definitiva, em alguns casos, sim. Por isso, uma parte dos traumas, como perdas, frustrações, traições, é abrandada espontaneamente ao longo da vida sem a intervenção de psiquiatras ou psicólogos. Esse fenômeno é mais uma das raízes da democracia da emoção. Se não fosse assim, todo ser humano precisaria de um psiquiatra ou psicólogo a tiracolo, inclusive os próprios profissionais.

Marco Polo comentou ainda que os traumas duplo P são os que perturbam com maior intensidade o hospedeiro. Eles, em especial, devem ser resolvidos, pois se retroalimentam e adoecem a mente, afetam o prazer, o encanto, os níveis de irritabilidade, a tolerância.

– Não sei como definir como estou. Perplexo, atônito, entusiasmado em descobrir a democracia da emoção. Ela é a notícia das notícias – afirmou dr. Alan.

Pela primeira vez em quinze anos, ele sentiu que poderia ser um homem livre, embora vivesse numa masmorra. Claro, não seria uma tarefa fácil, nem ele sabia se seria exitosa. E dr. Marco Polo fez sua conclusão:

– Voltando à nossa tese original: a vida é injusta? Sim. Mas há mecanismos mentais que podem corrigir as grandes injustiças. A democracia da emoção é tão complexa que pode transformar milionários em miseráveis e miseráveis em milionários emocionais. Pode levar celebridades a não ter nenhum brilho emocional e transformar simples anônimos em radiantes personagens.

– Ela pode intuitivamente levar uma criança que foi vilipendiada pela dor a ser bem resolvida e alegre. Por isso, algumas crianças que são abandonadas ou têm pais alcoólatras e violentos e têm tudo para ser infelizes tornam-se pessoas saudáveis.

– Mas esse processo de reconstrução não pode ser intuitivo, jogado, feito sem inteligência, pois os riscos são grandes. O Eu precisa aprender a ser um gestor da mente.

– Eu, definitivamente, não posso me posicionar como um covarde ou um eterno fracassado! Preciso reconstruir minha MUC, o espaço onde meu Eu mais reside, se ancora e se nutre. Mas como? Aprendi a usar bisturi e lâmina para operar o cérebro. Como meu Eu "opera" minha mente? Como ele pode reescrever minha história? – indagou o inteligente neurocirurgião.

– Como? Eis a questão! – exclamou o psiquiatra. – Você precisa conhecer o maior domesticador dos monstros da mente humana.

– Qual? – indagou dr. Alan.

– A mesa-redonda do Eu. Mas nosso tempo acabou. Amanhã será um novo dia.

Um homem que chegara às raias da mais aviltante miserabilidade psíquica, mas que, antes de adoecer, sabia onde estava pisando – pois conhecia como raros a anatomia do cérebro –, agora teria de lidar com o intangível, com o infinito mundo da mente humana. Teria de caminhar no escuro e ver o invisível. Teria de tatear o intocável e ouvir o inaudível. Chega um momento em que todo ser humano tem de empreender jornadas corajosas e perder o medo de se perder...

19

Dar a cara para o mundo

Alan já não era aquela pessoa deprimida, fóbica e pessimista. Interessava-se em conversar sobre política, economia, esportes, cultura – em especial sobre cinema, assunto que Claudia amava. Embora tivesse momentos de isolamento, ele contribuía em algumas tarefas de casa. Certa noite, arriscou fazer um jantar à luz de velas para a esposa, que o suportara todos aqueles anos com um amor indecifrável. Quase botou fogo na casa, mas sua intenção era boa... Pediu para ela sair e voltar às oito da noite. Quando ela chegou em casa, ficou fascinada.

– Você preparou um jantar para mim? Não acredito! – disse com a voz embargada enquanto tentava conter as lágrimas.

– Gostaria de oferecer o melhor cardápio para a mulher mais admirável. Mas aceite este simples espaguete deste chefe desastrado.

– Alan, que bom vê-lo tão bem! – Ela o beijou afetuosamente. – Todas as joias do mundo não me dariam maior alegria do que este simples jantar.

– Tinha perdido as esperanças de que eu me recuperasse?

– Nos primeiros cinco anos, não. Depois, nos cinco anos seguintes, minha esperança ficou em coma. Mas, após quinze anos, sinceramente, eu não tinha mais ânimo.

– Eu a compreendo. Sem esperança, a emoção não tem oxigênio. Há muito tempo eu vivia asfixiado. Mas sou um ser humano em construção, Claudia. Tenha paciência. Não espere muito, meu humor ainda flutua exageradamente.

– Você sabe que tem um ombro para chorar e outro para se apoiar, querido.

Na sessão seguinte com dr. Marco Polo, uma pergunta não queria calar na mente de dr. Alan. Como penetrar nas entranhas da memória e reconstruir o centro de circulação do psiquismo? Queria conhecer técnicas eficientes para que seu Eu reurbanizasse os escombros de sua mente, principalmente sua MUC. Estava ansioso para saber sobre a tal mesa-redonda do Eu.

Dr. Marco Polo olhou bem nos olhos de seu paciente e lhe afirmou sem meias palavras:

– Há pelo menos duas grandes maneiras de processar essa reconstrução: reeditar as janelas traumáticas e construir janelas light paralelas. Nas sessões de psicoterapia, ou seja, no pequeno cubículo deste consultório, podemos realizar as duas técnicas.

– E fora do consultório, como posso acelerar esse processo de construção?

– Através do DCD, você atua diretamente nas janelas traumáticas, reeditando as fobias, a raiva, o pessimismo, a autopunição, a culpa, o ciúme, a timidez, a baixa autoestima. Agora você precisa conhecer outra técnica poderosa, a mesa--redonda do Eu, para construir janelas paralelas saudáveis ao redor do núcleo traumático. São elas que o levarão a controlar suas crises.

Dr. Marco Polo disse que, se o DCD e a mesa-redonda do Eu fossem ensinados sistematicamente a crianças, adolescentes e adultos, funcionariam como ferramentas globais para prevenir transtornos psíquicos e violência em todas as nações, povos, culturas. A maioria das prisões virariam museus, e os psiquiatras e os policiais teriam tempo para fazer poesia.

– Como ela é operacionalizada? – indagou dr. Alan, motivado.

– A mesa-redonda do Eu é exercida quando o Eu deixa de ser um espectador passivo e assume seu papel como gestor psíquico fora dos focos de tensão, ou seja, fora da janela traumática. O Eu começa a discutir abertamente com tudo o que o controla. Começa a debater com falsas crenças, sentimento de incapacidade, medos, ciúmes, ataques de pânico, enfim, com todos os fantasmas que nos assombram e paralisam.

– Falar consigo mesmo... Isso não parece coisa de louco? – questionou dr. Alan.

– Loucura é discutirmos milhões de dados sobre economia, política, esportes, mas não discutirmos minimamente sobre os nossos próprios conflitos.

O neurocirurgião foi se afundando na poltrona. O psiquiatra continuou:

– Loucura é remover lixos sobre a mesa e papéis sobre o chão mas não remover a enorme quantidade de lixo de nossa mente. Loucura é ser educado para falar com o mundo mas não aprender a se conectar consigo. Loucura é fazer a higiene bucal diariamente e não fazer a higiene mental sequer uma vez por ano – dr. Marco Polo afirmou de maneira contundente.

– Desculpe-me. Acho que somos um bando de loucos. Pensamos que somos racionais, mas me parece que somos uns tolos. Preciso praticar a mesa-redonda do Eu – reconheceu o homem da neurociência. – E como devo praticá-la?

– Essa técnica deve ser feita todos os dias, no silêncio de nossa mente, em qualquer lugar, até enquanto dirigimos.

– Durante quanto tempo?

– Bastam alguns poucos minutos por dia.

– Só? Então qualquer um pode praticá-la! Devo perguntar qual é o fundamento de meus medos, autopunição, ciúme, autocobrança, ansiedade, humor impulsivo? Devo questionar até onde eu os agiganto em meu imaginário? Devo inquirir que realidade ou lógica possuem e que estratégias usarei para gerenciá-los? Estou certo?

– Exatamente. Use a arma poderosa do Eu. Bombardeie seus fantasmas com perguntas, críticas e debates. Se for eficiente, eles deixarão de ser "monstros" e se converterão em pequenos "animais de estimação". Desse modo, janelas light serão construídas ao redor do núcleo traumático, na MUC.

Dr. Alan, sob o efeito das chamas do entusiasmo, tirou uma das mais importantes conclusões para sair do seu cárcere psíquico:

– Se estou tendo um ataque de pânico, caracterizado pelo medo súbito de que vou morrer ou desmaiar, devo usar a técnica do DCD, ou seja, rebelar-me contra ele no silêncio mental por meio da arte da dúvida, da crítica e da determinação. E, se estou fora da crise de pânico, devo praticar a mesa-redonda, trazer à lembrança minhas crises e promover um debate inteligente com elas.

– Parabéns! Mas não seja conformista. Essas técnicas exigem disciplina e precisam ser praticadas durante anos. Todo ser humano deveria colocá-las em prática durante toda a vida.

– Nunca imaginei que meu Eu tivesse tanta munição para romper os cárceres da minha mente.

O intelectual da neurocirurgia, como um engenheiro de ideias, tinha que entrar em áreas nunca antes adentradas, reparar ruas e avenidas, construir pontes e edifícios no centro de circulação do seu Eu. Seu desafio era retomar sua vida como pai, marido, agente social e profissional. Não bastava ficar deslumbrado com a planta básica da sua mente; teria de carregar pedras, muitas pedras...
Volta e meia, um temor o tirava do ponto de equilíbrio.
"Conseguirei me reconstruir ou estou condenado a ser um homem ilhado, mentalmente incapaz, profissionalmente inútil?", dr. Alan se perguntava em alguns momentos.
No entanto, as ferramentas que elaborava e aplicava todos os dias o deixavam cada vez mais seguro, autocontrolado e estável. Lucila visitava o pai com frequência e se surpreendia com sua genialidade. O neurocientista era novamente capaz de discutir assuntos de psicologia e filosofia com maestria.
– Como eu posso contribuir para torná-la mais saudável?
– Você já contribui, papai. Sua estabilidade é minha alegria.
– Não é suficiente, filha. Eu fui dominado por muitos tipos de medo. E nunca lhe falei sobre eles, pois achava que um pai só tinha que dar ensinamentos positivos sobre o mundo exterior. E como, nos últimos anos, me via como um derrotado, sentia-me sem moral para ensinar-lhe até as coisas mais comuns... Medo de morrer, você sempre soube que eu tenho. Mas estou em fase de superação do medo do vexame, do medo de empobrecer, do medo de enlouquecer, do medo do futuro e, principalmente, do medo de perdê-la.

— É incrível como a nossa mente esconde lágrimas nunca antes verbalizadas — afirmou Lucila.

— Que medos a assombram, filha?

— O medo de ficar sozinha, de ser infeliz em meu relacionamento, de não ser uma boa psicóloga.

— O que mais?

— Medo...

— Fale, filha. Uma mente só se torna assombrada se as suas janelas não são abertas.

— Medo de que você tenha uma recaída... Tenho medo de perdê-lo de novo.

Então dr. Alan lhe explicou a teoria das janelas da memória, a dança entre o consciente, a MUC, e o inconsciente, a ME, e a necessidade vital de reeditar o centro de circulação do Eu.

— Impressionante, papai. Não aprendi esse trânsito entre a MUC e a ME. Quer dizer que não precisamos resolver todas as janelas traumáticas para sermos felizes e estáveis?

— Exatamente.

— Onde estão meus medos?

— Se a perturbam com frequência e são fáceis de detectar, estão na MUC.

— Mas há instrumentos para adestrá-los, não?

— Sim, como a técnica da mesa-redonda do Eu. Na minha opinião, a opinião de quem viveu mais de quinze anos no mais inumano dos calabouços, o segredo é o Eu ser equipado para gerir a mente humana.

— Fascinante, papai.

— Não olhe seus pacientes como doentes, filha, mas como seres humanos em construção.

— Sempre me lembrarei disso — disse Lucila, que em seguida comentou: — Quer dizer que uma recaída, algo indesejável, não deve ser encarada como objeto de punição, mas como uma oportunidade para o Eu reeditar janelas traumáticas antes intocadas? Isso abranda meu medo de perdê-lo...

— Eu sei. Abrandou o meu de perder você também.

— Você virou de cabeça para baixo alguns dos meus conceitos.

— Ao atender a seus pacientes, sempre lhes dê liberdade para questionar, criticar suas interpretações e intervenções. Não importa a corrente psicoterapêutica que você abraça, o que importa é que o objetivo principal de qualquer tratamento é levar o paciente a ter autonomia, a ser autor da própria história. Não coloque o paciente dentro da sua teoria, mas a sua teoria dentro do paciente. O paciente é muito maior do que a teoria.

Assim, pai e filha tornaram-se bons amigos e cúmplices de grandes debates. A relação entre eles ganhou estatura. Saíram do caos muito melhores. Dr. Marco Polo, vendo o progresso consistente do neurocirurgião, sentiu que era o momento de levá-lo ao desafio de percorrer a sua grande maratona.

— É tempo de você dar a cara ao mundo, doutor Alan.

— Já tenho dado. Discuto ideias com minha filha, vou ao supermercado sozinho, visito alguns amigos, saio para caminhar com Claudia e, às vezes, dirijo meu carro.

— Excelente, mas insuficiente. Já é tempo de retomar suas atividades como médico.

— O quê? Você está ficando louco?

Mais uma vez, dr. Marco Polo o surpreendeu:

— Loucura é desperdiçar uma mente brilhante.

— Estou aposentado. Sou uma carta fora do baralho da medicina.

— Quem disse que você é uma carta fora do baralho? O medo de fracassar o está paralisando.

– Não tenho destreza, conhecimento, estou desatualizado.
– Por que você mente para si mesmo? Você tem estudado como raros médicos.
– Você acha que posso frequentar o Hospital Santa Cruz?
– Pode e deve.
– E se eu tiver uma recaída? E se tiver novos ataques de pânico?
– Qual é o problema? – indagou dr. Marco Polo.
– Serei objeto de chacota?
– Esqueceu-se de que a recaída é uma oportunidade para você se reconstruir?
– Mas... e se eu der escândalo? – perguntou, aflito, dr. Alan.
– Você vende a sua paz pela cabeça dos outros?
– Não. Mas... ser alvo de deboche, de chacota... ser o palhaço do circo.
– Orgulho, esse veneno instintivo que infecta e paralisa a capacidade de se reinventar...
– Mas...
– Se reinvente, Alan...

Dr. Marco Polo comentou que, no consultório, o ambiente era controlado. Afirmou que alguns monstros que estão alojados na ME ou MUC só eclodem no ambiente real, no espaço onde se sofreu o trauma, onde se sentiu vergonha.

Dr. Alan teria de percorrer esses acidentados terrenos sozinho. Mas recordou que não estava de mãos vazias. Conhecia as técnicas do DCD e da mesa-redonda do Eu, que protegiam a emoção. Tinha instrumentos para se libertar da Síndrome do Circuito da Memória Tensional e Psicoadaptativa. Todavia, apesar de ter aprendido como domar seu leão interno, ao encará-lo de frente, poderia levar alguns arranhões ou...

20

Livre do maior de todos os sequestros

Dr. Alan estava pensativo, repassava mentalmente tudo o que Marco Polo havia comentado. Claudia ficou preocupada; fazia tempo que não o via tão introspectivo. Ligou para Lucila, e as duas conversaram sobre o comportamento dele. Lucila costumava tomar café da manhã com o pai. Mas, naquele dia, ele tinha saído bem cedo, antes de ela chegar e de Claudia acordar.

Ele estava com uma disposição diferente. Silenciosamente, vestira seu velho jaleco branco – uma relíquia – sobre uma camisa de manga comprida. Pegou um táxi e apareceu no Hospital Santa Cruz.

Dar os primeiros passos em direção ao ambulatório da grande instituição foi um sacrifício. Sentia que estava se aproximando de uma jaula. Mas a fera não estava no meio externo, e sim dentro de si. Um burburinho surgiu entre os mais velhos quando o avistaram.

– Aquele não é o doutor Alan? – um antigo enfermeiro falou para um médico de cabelo grisalho. Ambos trabalhavam havia mais de vinte e cinco anos no hospital.

— Não, não pode ser. Dr. Alan é um doente mental. Não sai mais de casa. É o que todos dizem — comentou o médico.

O neurocirurgião percebeu o zum-zum-zum e se inquietou.

— Alan, você aqui? — disse um infectologista idoso.

— De corpo e alma, doutor Fúlvio.

Alan mostrava sinais de ansiedade. Foi até a sala central do ambulatório de neurologia e pediu para acompanhar as consultas.

— Você tem certeza?

— Nunca tive tanta certeza, doutor Mário Antônio.

— Eu lhe devo muitos favores. Foi você que me entrevistou, me contratou e me treinou. Mas não quero prejudicar sua saúde.

— Fique tranquilo. O ócio multiplica as ideias perturbadoras, como o câncer multiplica células egoístas.

O médico refletiu sobre o que ouviu.

— Não perdeu sua afiada capacidade de resposta.

— Por favor, só vou acompanhar o grupo que está ensinando os estudantes de medicina.

— Claro, doutor Alan. Só lhe peço discrição, porque você não é mais médico da instituição. Além disso, se souberem que está aqui, será um alvoroço.

Alan já não tinha grande parte das ações do hospital. Para sobreviver durante todos aqueles anos, precisara vendê-las. Em seguida, dr. Mário Antônio comunicou o fato ao chefe do departamento de neurocirurgia, dr. Ronald, que reagiu muito mal.

— E como você permitiu isso? — disparou. Alguns fantasmas alojados em seu inconsciente deram solavancos.

— E como eu poderia negar algo ao doutor Alan? Você se esquece de quem ele é?

Dr. Ronald o corrigiu:

— Quem ele foi. Hoje, ele é uma sombra do seu passado.

— Mas o passado de um homem morre quando ele desmorona? Quem sabe ele não retorna...

Ronald teve um ataque de ciúme.

— Esse retorno é uma febre passageira. Deve ter sido estimulada por algum psiquiatra romântico.

Dr. Alan caminhou pelos corredores. Os raros personagens que o conheciam ficaram com os olhos arregalados. Mas a maioria só o conhecia de ouvir falar. Enquanto caminhava, mergulhava nos bastidores da sua mente. Procurava o ser humano que havia abandonado pelo caminho, procurava o brilhante cientista, o professor impactante, o médico que dava conferências internacionalmente conhecidas. Mas era uma tarefa difícil perscrutar a periferia de sua memória existencial e se achar. Conformou-se, então, em ser um simples observador de outros professores. Mas alguém com seu histórico poderia ser apenas um figurante, um ator coadjuvante? Nem ele sabia a resposta.

Bateu numa porta e pediu com humildade para participar das consultas. Ninguém o conhecia. Mostrou o papel que o autorizava a participar como observador. Estudantes do último ano da faculdade estavam apreendendo a avaliar e tratar pacientes neurológicos com dois professores jovens. Dr. Alan sentiu um súbito mal-estar no início da primeira consulta. Teve taquicardia, parecia um estranho no ninho. Então, subitamente, criticou a postura passiva do seu Eu e não se curvou aos seus sintomas psicossomáticos. Interiorizou-se e gerenciou seu foco de tensão.

Nessa primeira consulta, foram feitas a leitura dos exames e algumas perguntas. Os mestres ensinavam seus alunos. No final da exposição, dr. Alan não se controlou. Sentiu que faltava profundidade na bateria de perguntas ao paciente, na análise dos dados e na elaboração do raciocínio clínico. Pediu licença aos alunos e aos professores e tomou as rédeas. Começou tudo de novo.

Feitos os exames físicos e uma nova bateria de perguntas, pegou as imagens de ressonância magnética, analisou-as, ponderou e pontuou. Em seguida, construiu seu raciocínio e começou a ensinar a todos eles a fazer um bom diagnóstico. Deu um *show*.

– Mas quem é você? – indagou o professor, de trinta e dois anos.

– Não importa. O que importa é se sou útil ou não.

Assim, os próximos pacientes foram atendidos. E dr. Alan não parecia mais apenas um perspicaz e atrevido médico, mas um artesão da medicina. Investigava, analisava, ensinava e diagnosticava com maestria. O impacto foi tão grande que alunos e professores de outras salas foram chamados para vê-lo atuar. Os mais velhos apenas concordavam com a cabeça e diziam a si mesmos: "A velha raposa não perdeu sua habilidade". Depois de oito pacientes atendidos, dr. Alan se despediu de todos sem falar nada, nem seu nome.

Todos ficaram emudecidos. Os professores mais novos indagaram aos velhos mestres:

– Quem é a fera?

Os que o conheciam disseram:

– A pergunta correta é: quem é a lenda?

Quando dr. Alan já se encontrava na calçada em frente ao hospital à espera de um táxi, eis que um imprevisto aconteceu. Assistiu, vinte metros à sua frente, a um grave acidente de carro. Um luxuoso carro bateu na traseira de um ônibus que havia freado bruscamente para não atropelar um pedestre que atravessava a rua fora da faixa. O som da colisão, a freada, o pânico dos passantes levaram dr. Alan a se asfixiar pelo medo da morte. Janelas killer duplo P não reeditadas pareciam querer devorá-lo, fechando o circuito de sua memória. Ficou paralisado por alguns instantes. Parecia que iria desmaiar, estava ofegante.

Mas já não era um homem sem instrumentos para enfrentar suas crises. Arremessou-se dentro do cárcere da emoção e enfrentou os vampiros que sugavam sua segurança. Duvidou categoricamente do controle do pânico, criticou com vigor os fundamentos dele e decidiu ser livre. E, diferentemente de tantas vezes em que se saíra como vítima, hasteou a bandeira da liberdade. Correu até o local e orientou o pronto-atendimento para que as vítimas não fossem arrancadas à força do carro ou mal posicionadas.

Em tempos de crise, todos precisam de um vendedor de segurança para dirigi-los. Dr. Alan mostrou-se tão seguro que diminuiu a tensão dos socorristas e os controlou. No carro, o motorista estava consciente, mas, vendo sua filha desmaiada e sangrando pelo nariz, bradava desesperado:

– Filha! Acorde! Mariana, acorde!

Infelizmente, logo antes do acidente, ela tirara o cinto de segurança para pegar um objeto no banco de trás.

– Acalme-se. Nós vamos ajudá-la – disse dr. Alan.

Os socorristas colocaram a garota de dezoito anos numa maca, e o neurocirurgião os acompanhou até o hospital. Minutos depois, chegou um homem aflito – era o tio da garota. Encontrou seu irmão, o pai de Mariana, em outra maca. Este lhe disse, desesperado:

– Acho que a Mariana sofreu uma lesão na cabeça. Cuide dela.

O tio foi até o local onde estavam atendendo a garota.

— Como está a Mariana? Por favor, me deem alguma informação!

— Os exames estão sendo feitos — disse um dos médicos.

O homem ficou preocupadíssimo. De repente, viu uma figura conhecida saindo do ambiente onde a garota se encontrava e o chamou:

— Dr. Alan? Dr. Alan?

— Sim.

— Sou o doutor Salomão Bachier. O pai de Lucas.

O tio de Mariana era simplesmente o pai do menino que havia sido atropelado havia mais de quinze anos e salvo pelo dr. Alan.

— Ah, sim. Muito prazer em revê-lo.

— Minha sobrinha acabou de se acidentar.

— A garota Mariana?

— Sim. Como ela está?

— Acabei de encaminhá-la para fazer uma série de exames.

— O que você acha? — perguntou Salomão, ansioso.

— Temos de esperar o resultado dos exames. Mas é provável que tenha sofrido traumatismo craniano. Ela será bem assistida aqui. — Dr. Alan se despediu.

— Espere. Termine o atendimento.

— Sinto muito. Não estou mais na ativa. Nem mesmo sou funcionário do hospital.

Mas dr. Salomão suplicou ao neurocirurgião, em quem tanto confiava, que não abandonasse sua sobrinha. Todos ouviram sua súplica dita aos prantos.

— Não vá embora, doutor Alan. Não abandone minha sobrinha. Ela é como uma filha! Por favor!

Dr. Alan permaneceu no hospital até os exames chegarem. Após examiná-los, concluiu que ela deveria ser operada imediatamente. Estava com múltiplas hemorragias cerebrais.

– Mariana precisa ser operada com urgência.

– Opere-a, por favor.

– Não posso. Há muitos anos não entro numa sala de cirurgia.

Subitamente, ouviu-se uma voz imponente por trás dos dois:

– Eu vou operá-la – disse dr. Ronald, o antigo pupilo de dr. Alan.

– Doutor Ronald é um grande cirurgião. Ele e sua equipe cuidarão dela.

– Não. Acompanhe a cirurgia também.

Nesse momento apareceu Lucas, o filho do dr. Salomão.

– Dr. Alan, sou Lucas. Lembra-se de mim?

– Sinto encontrá-lo nesta circunstância...

– Meu pai não confia em mais ninguém. Opere Mariana, por favor.

– Ele não tem autorização para operá-la – disse dr. Ronald.

Num acesso de raiva, o advogado disse:

– Eu sou um dos maiores criminalistas deste país e exijo que lhe dê liberdade para também entrar no centro cirúrgico.

Dr. Ronald respondia por dois processos abertos contra ele. Tinha medo da Justiça. Diante do enfático pedido, cedeu. Assim, mais uma vez, o mestre e seu discípulo operariam um paciente. Outro neurocirurgião também participaria da cirurgia de Mariana.

Dr. Alan atuou como segundo auxiliar. Era uma cirurgia de alto risco e se mostrou complexa desde o começo.

Dr. Ronald suava, desesperado, com medo de perder a paciente. Seu auxiliar também estava perturbado. Os dois afinal pediram a opinião de dr. Alan, mas o viram em estado de choque. Parecia estar tendo um novo e intenso ataque de pânico.

No entanto, num mergulho introspectivo, dr. Alan respirou profundamente e fez o DCD; momentos depois, seu Eu geriu sua mente e mais uma vez domesticou os fantasmas que o assombravam – inclusive seu sentimento de incapacidade. Aquele foi um momento solene, que mudaria para sempre a sua história. Ele assumiu o comando da cirurgia e, pouco a pouco, começou a estancar as hemorragias e aliviar a pressão cerebral. Passada essa dificuldade, dr. Ronald assumiu o primeiro posto. A paciente foi salva.

Quando já estavam trocando de roupa, dr. Ronald chamou dr. Alan de lado e lhe disse humildemente:

– Desculpa...

– Eu o compreendo. A vaidade não é própria somente de quem vive nas colunas sociais, mas também dos intelectuais. Eu também errei – confessou dr. Alan.

Quando, muitos anos antes, dr. Ronald defendera que dr. Alan deveria parar de operar para se tratar, tinha a intenção real de que seu mestre se cuidasse. Dr. Alan não sabia, mas, em algumas ocasiões, dr. Ronald o elogiava em suas conferências.

– Poderíamos voltar a operar juntos.

– Não tenho mãos.

– Um mestre pode perder as habilidades manuais, mas nunca a inteligência... – E lhe apertou a mão.

O neurocirurgião não lhe respondeu se retornaria a operar ou não. Agradeceu-lhe e começou a caminhar, feliz da vida. Parecia um menino soltando pipa, achando que o céu lhe pertencia. Foi para casa a pé. Tinha a necessidade vital de praticar as "loucuras" do dr. Marco Polo, de ter longas conversas consigo mesmo.

* * *

A tarde já avançava. Todos em sua casa estavam desesperados com o desaparecimento do dr. Alan. Claudia tinha ligado para a polícia, que, após algumas perguntas, cogitou se tratar de um sequestro e foi à casa deles. Lucila também ligara para muitos conhecidos do pai, mas ninguém sabia dele. Ela estava na porta da casa, com os olhos marejados... Achava que o havia perdido novamente. De repente ergueu os olhos e viu, a cinquenta metros, a silhueta de um homem vestido com um jaleco branco. Eufórica, gritou:

– Papai, papai!

O pai deu um sorriso largo e abriu os braços. Ela teve um *flashback*. Lembrou-se da sua infância, de quando tinha oito anos e seu pai corria para abraçá-la, alegríssimo.

– Lucila! Lucila!

E os dois deram um abraço mágico. Momentos depois, Claudia se juntou a eles. Os três se abraçaram por minutos, como se fossem um só. Choravam de felicidade. Os policiais, ao verem a cena, não entenderam nada; interrompendo aquela sintonia de afeto, um deles indagou ao homem:

– O senhor foi sequestrado?

Dr. Alan abriu passagem entre as duas mulheres da sua vida e afirmou:

– Sim! Por longos quinze anos. Mas estou livre do meu cárcere.

Com uma de cada lado, Alan foi conduzido à casa. Elas queriam saber todas as novidades. Estavam diante de um novo homem.

Alan retomou sua jornada como médico. Todos os dias, ia ao ambulatório. Após duas semanas, foi chamado à sala do diretor clínico do hospital:

– Doutor Alan, infelizmente, você não pode trabalhar na instituição – disse o diretor, com a face compenetrada. E deu-lhe uma carta.

Alan ficou prestes a ter uma crise brutal de pânico. Mas, de repente, recolheu-se em seu interior e retomou a liderança de si mesmo. Não admitiu ser escravo do que os outros pensavam e falavam dele. Poderia trabalhar em qualquer outro lugar.

Não contestou o diretor clínico. Nem leu a carta. Apenas deu as costas, mais uma vez, à ingratidão. Quando saiu da sala, levou um susto. Uma multidão de pessoas começou a aplaudi-lo. Eram pacientes que ele havia operado e tratado ao longo de sua carreira. Estavam acompanhados de seus familiares. Alan reconheceu vários deles. Todos o aplaudiam. Havia também muitos médicos que ele havia ensinado e treinado, inclusive dr. Ronald. Todos bradavam "O gênio voltou", "Parabéns, doutor Alan!". O hospital tinha preparado uma homenagem surpresa a ele por todos os serviços prestados à instituição. Foi com lágrimas nos olhos que Alan abriu a carta, que dizia: "Você atravessou os vales mais profundos da dor humana e os superou. Obrigado por ter aliviado o sofrimento de muitos e por ter voltado ao teatro da medicina".

De trás da multidão, apareceram Lucila e Claudia, que carregavam cada uma um pequeno buquê de flores – quinze tipos diferentes, cada um representando um ano de ausência. Cada uma dessas flores indicava que um ser humano, quando recolhe seus pedaços e se reconstrói, se torna mais belo, rico, poético, experiente e generoso.

No ramalhete, havia uma mensagem de Lucila, que ela fez questão de ler em voz alta: "Obrigado, papai, por não ter desistido de si mesmo. Você nos mostrou que vale a pena viver, mesmo quando o mundo desaba sobre nós".

E filha e pai se abraçaram, sem medo de expressar suas lágrimas em público.

Este romance foi livremente inspirado em fatos reais. Os dados foram modificados para preservar a identidade dos personagens.

Escola da Inteligência

Imagine uma escola que ensina não apenas a língua a crianças e adolescentes, mas também o debate de ideias, a capacidade de se colocar no lugar do outro e de pensar antes de reagir para desenvolver relações saudáveis. Uma escola que não ensina apenas a matemática numérica, mas também a matemática da emoção, onde dividir é aumentar, e também ensina a resiliência: a capacidade de trabalhar perdas e frustrações. Continue imaginando uma escola que ensina a gerenciar pensamentos e a proteger a emoção para prevenir transtornos psíquicos. Pense ainda numa escola onde educar é formar pensadores criativos, ousados, altruístas e tolerantes, e não repetidores de informações.

Parece raríssimo, no teatro das nações, uma escola que ensine essas funções mais complexas da inteligência, porém agora há um programa chamado Escola da Inteligência (E. I.), que entra na grade curricular, com uma aula por semana e rico material didático, para ajudar a escola do seu filho a se transformar nesse tipo de escola.

O dr. Augusto Cury é o idealizador do programa Escola da Inteligência. Vamos às lágrimas ao vermos os resultados em mais de 100 mil alunos. Há dezenas de países interessados em aplicá-lo. O dr. Cury renunciou aos direitos autorais do programa E. I. no Brasil para que este seja acessível a escolas públicas e particulares e haja recursos para oferecê-lo gratuitamente a jovens em situação de risco, como os que vivem em orfanatos. Converse com o diretor da escola do seu filho para conhecer e adotar o programa E.I. O futuro emocional do seu filho é fundamental.

Para obter mais informações e conhecer as escolas conveniadas da E. I. mais próximas de você, acesse:
www.escoladainteligencia.com.br ou ligue para (16) 3602-9420.

Academia de Gestão da Emoção

A produção de conhecimento do dr. Augusto Cury e as suas decisões não têm apenas impactado leitores de muitas nações, mas também têm sido assunto da grande mídia. Seu mais novo projeto, que vem sendo desenvolvido nos últimos dez anos, é a Academia de Gestão da Emoção on-line. Trata-se da primeira academia de gestão da emoção do planeta; uma escola digital com programas gratuitos e projetos sociais fascinantes, com foco na prevenção do *bullying*, do suicídio e no fim da ditadura da beleza.

A academia também oferece cursos e seminários de Coaching de Gestão da Emoção. Nesse projeto, você aprenderá as ferramentas mais importantes para gerenciar a sua mente, superar os cárceres mentais e ser autor de sua história!

Para conhecer mais o projeto, acesse:
www.omelhoranodasuahistoria.com.br

#Augustocury #omelhoranodasuahistoria
#academiadegestaodaemocao
#4semanasparamudarasuahistoria